口絵1　レオナルド・ダ・ヴィンチ、一部ヴェロッキオ工房の同僚か〈受胎告知〉

口絵２　レオナルド・ダ・ヴィンチ、おそらく部分的にヴェロッキオ工房の同僚も関与〈カーネーションの聖母〉

口絵３　レオナルド・ダ・ヴィンチ〈ブノワの聖母〉

口絵４　レオナルド・ダ・ヴィンチ
〈ジネヴラ・デ・ベンチ〉

〈ジネヴラ・デ・ベンチ〉の裏面

口絵５　レオナルド・ダ・ヴィンチ〈東方三博士（マギ）の礼拝〉

口絵６　レオナルド・ダ・ヴィンチ〈聖ヒエロニムス〉

口絵７　レオナルド・ダ・ヴィンチ主導、デ・プレディス兄弟と共作〈岩窟の聖母〉（第一ヴァージョン、パリ版）

口絵８　レオナルド・ダ・ヴィンチ、アンブロージョ・デ・プレディスと共作〈岩窟の聖母〉（第二ヴァージョン、ロンドン版）

口絵９　レオナルド・ダ・ヴィンチ〈白貂を抱く貴婦人〉

口絵10　レオナルド・ダ・ヴィンチ〈ラ・ベル・フェロニエール〉

口絵 11　レオナルド・ダ・ヴィンチ〈最後の晩餐〉

口絵 12　レオナルドによる下絵に基づき、工房内の弟子によって制作、ランズダウン版（レフォード版とも）〈糸巻きの聖母〉

口絵 13　レオナルド・ダ・ヴィンチ〈ラ・ジョコンダ（モナ・リザ）〉

口絵 14　デジタル修復した〈ラ・ジョコンダ〉（p186 に詳細）

口絵 15　レオナルド・ダ・ヴィンチ〈聖アンナと聖母子〉

口絵 16　レオナルド・ダ・ヴィンチと工房〈サルヴァトール・ムンディ〉

口絵 17　レオナルド・ダ・ヴィンチ〈洗礼者ヨハネ〉

よみがえる天才2

レオナルド・ダ・ヴィンチ

池上英洋 Ikegami Hidehiro

★――ちくまプリマー新書

350

目次 ＊ Contents

凡例

・本書にある引用文の翻訳は、原則として著者本人によるものです。
・レオナルドの手稿からの引用部分では、著者名（レオナルド・ダ・ヴィンチ）を省略しています。

はじめに――「未完成作」ばかりの芸術家

イタリアのガッディ家にながく保管されていた文書で、書いた人の名前が残っていないため『アノニモ（＝逸名）・ガッディアーノ』と呼ばれる年代記に、次のような逸話が書かれています。舞台はフィレンツェ。イタリア中部の町で、ルネサンス文化が花開いた、当時のヨーロッパで最も豊かな都市のひとつです。ちなみに文中に出てくるスピーニ館には現在、有名な靴ブランドであるフェラガモの美術館が入っています。

レオナルドがジョヴァンニ・ダ・ガヴィーネとともにスピーニ館の前を通ると、男たちが集まって、ダンテの一節について議論していた。彼らはレオナルドを呼び止め、その一節を説明してくれとたずねた。ちょうどそこへ、ミケランジェロが通りかかった。レオナルドは彼らに、「ミケランジェロだ。彼が説明してくれるだろう」と答えた。これを、自分に恥をかかせるためだと思ったミケランジェロは怒って言った。「自分で説明しろ！　ブロンズで鋳造するための馬をデッサンするだけで、恥ずかしげもなく鋳造しないままにしているお前が！」ミケランジェロはそう言うと、くるりと背を向けて行ってしまった。そこに残されたレオナルドは、そう言われて顔を真っ赤にした――。

レオナルド・ダ・ヴィンチとミケランジェロ・ブオナローティという、歴史上でももっとも偉大とされる二人の大芸術家が、同じ時代に同じ場所にいただけでもすごい気がしますが、この逸名記者が伝えるように、二人はお互いを知っていただけでなく、当時からライヴァル関係に置かれていました。この文書が書かれたのは一五三七年から四七年頃にかけてのことと考えられているので、レオナルドはすでに亡くなっていましたが、ミケランジェロはまだ健在でした。そして同文書の他にも、ミケランジェロを慕っていたジョルジョ・ヴァザーリなどが二人の対抗意識について記しているので、つまり彼らのライヴァル関係はまったくの創作ではなく、事実と考えて良いでしょう。

それにしても、町なかで男たちが集まって、難解な詩の一節について議論するとは。よほどに科学や学問が進歩し知識量が増大しているはずの現代でも、そのような光景を目にすることはまずありません。ルネサンスのイタリアにおける一般市民の文化水準の高さがわかりますし、振り返って自分たちの日々のすごし方が少し恥ずかしくなってしまいます。

さて、ダンテの『神曲』について質問するほどですから、当時の人々がレオナルドを知識人とみなしていたことがわかります。またミケランジェロは、貴族の出身で教養に富み、詩人としてもすぐれた作品を多く遺したような人物です。おそらくレオナルドは、特に悪気もなく、詩のことならより詳しいミケランジェロに尋ねた方が良いですよ、程度のことを言ったのだと思います。しかし激しやすい性格でも知られるミケランジェロは、自分に恥をかかせようとしたのだろうと悪くとってしまったのでしょう。ひょっとすると、ミケランジェロでさえ、レオナルドに若干のコンプレックスを抱いていたのかもしれません。口汚く罵ったあげく、ぷいとその場から去ってしまいました。

ここで問題となるのは、ミケランジェロの捨て台詞《ぜりふ》の内容です。「ブロンズで鋳造するための馬」とは、この逸話で語られる出来事の前に、ミラノ宮廷に仕えていたレオナルドが手掛けていた巨大な騎馬像を指しています。続く「デッサンするだけで、恥ずかしげもなく鋳造しないままにしている」という言葉には、レオナルドが少し可哀そうになります。というのも、詳しくは本章で述べますが、戦争によって制作が中断させられた事案だからです。

しかし、レオナルドがそれに反論もせず真っ赤になって下を向くのは、そう嘲笑されても仕方ないほど、彼がほとんどの作品を最後まで完成させられずに終わっていることを自覚しているからです。事実、レオナルドの作品は非常に少なく、そのうち完成させた作品はさらに少なくなります。数え方にもよりますが、現存作例は一五点前後で、これは寡作で知られる画家フェルメールの半分以下にすぎません。そして三分の一ほどが未完成に終わり（あの〈ラ・ジョコンダ（モナ・リザ）〉でさえ未完成作です）、別の三分の一ほども非常に傷んだ状態にあります（たとえば有名な〈最後の晩餐《ばんさん》〉は、もともと描かれていた顔料のかなりの部分が失われています）。くだんのブロンズ騎馬像のように、実現しなかった作品や計画倒れに終わったものとなると、その数は膨大になります。このことは、大作を次々とものしていったミケランジェロと、たしかによい対照をみせています。レオナルドは当時の芸術家としては致命的なほどに仕事が遅く、何度も試行錯誤を繰り返し、失敗も多く、そしておそらくは作品を完成させるエネルギーにもやや欠けていたに違いありません。

ではなぜこれほど未完成だらけ、計画倒ればかりの芸術家が、西洋の美術史を代表する人として知られているのでしょう。〈ラ・ジョコンダ〉や〈最後の晩餐〉ほど広く世に知られた作品は他になく、レオナルドほど誰もが知っている芸術家の名前もたしかに無いのです。人気も常に高く、たとえば一九七四年に東京で開かれた〈モナ・リザ〉展は、一五〇万人以上の来館者を集め、企画展の単館入場者数の世界記録をいまだに保持しています。

不思議なことです。そこには、そうなるだけの理由が必ずあるはずです。本書では、そうした理由をひとつひとつ追いながら、この不思議を一緒に解き明かしていきます。レオナルド・ダ・ヴィンチを称して「万能の天才」とはよく言われることですが、その「万能の天才」というレッテルでは単純に片付けることのできない、波乱に富んだ一生をおくった、重層的で複雑で、不運と失敗だらけの「偉大なる普通の人」としてのレオナルドの姿が浮かび上がってくるはずです。

彼は一般に思われているような、何の苦労もなく「万能の天才」になった人ではありません。時には自信なさげに悩み、かと思えばわざと大きな事を言って虚勢を張ってみたりします。収入が少ないと不満を言い、部下が働かないとぼやき、わからず屋が多いと嘆きます。生い立ちからしてハンデをかかえていたので、それを跳ね返そうともがいてもいます。母親に愛された記憶がわずかなためでしょう、一生母性への憧れを持ち続け、それを画面の上に吐露していきます。おまけに幼い頃に充分な教育を受けていないためにコンプレックスを抱えていたし、学問の探求を始めてからは実際にそのせいで苦労もしています。

しかし彼の凄《すご》いところは執拗《しつよう》で、かつ謙虚なところです。わからないことがあれば自分よりも詳しい人のところへ素直に聞きにいき、同じ問題を何度も繰り返し考えるうちに、いつしか彼がその問題について当時最も詳しい人となっていきます。作品を完成できずに放り出す彼の姿と、真似《まね》できないほどにしつこく食い下がる姿の、はたしてどちらが本当の彼なのでしょう。

実に謎めいた人物です。「万能の天才」というイメージの裏には、こうして一生涯通じて苦悩し続けた一人の普通の人間の、より身近で、だからこそ一層偉大な挑戦のドラマがあるのです。

第一章　ルネサンスと共に誕生した人

まずは彼が生まれた瞬間を覗《のぞ》いてみることから始めましょう。ヴィンチ村という、イタリア中部にある田舎町での、ごくありふれた日常風景です。しかし彼にまつわる謎を解く鍵の多くがそこにあります。

レオナルドが生まれた日も、時間までをも私たちは知ることができます。彼のお祖父さんが律儀に書き残してくれているおかげです（図2）。「一四五二年四月一五日土曜日、夜三時、私の孫、わが子セル・ピエロの子が生まれた。リオナルドと名付け、ヴィンチ村のピエロ・ディ・バルトロメオ神父が洗礼を授けた……」。今とは時間の数えはじめが異なるので、現代に直すと夜の一〇時半になります。時差のある日本時間では翌四月一六日にあたり、私事で恐縮ですが筆者の誕

図１　レオナルドが洗礼を受けた洗礼盤。ヴィンチ村、サンタ・クローチェ教会

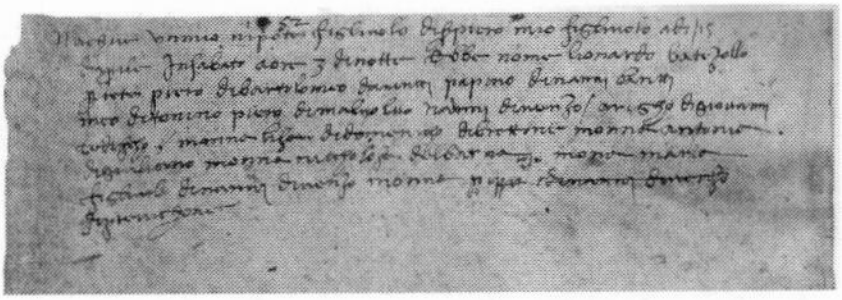

図２　祖父アントニオによる、レオナルドの出生記録。フィレンツェ、国立公文書館

生日と同じになるのでちょっと嬉《うれ》しかったりします。

家の帳簿の最後のページにこれを書いたのは、レオナルドの祖父アントニオです。後に有名になってからのレオナルドが書き残したものならいざしらず、そのお祖父さんのようなごく普通の人の手によって五〇〇年以上も前に書かれた記録が、今でも残っていることに驚かされます。イタリアは今も昔も文書の国で、何かひとつ事務的な処理をするたびに、大量の書類が作成されて律儀に保管されます。実際、人口調査書や税の申告書類、裁判記録から教会の洗礼者名簿に至るまで、どれほど退屈な書類でも彼らが真面目にとっておいてくれたおかげで、私たちは昔のことをかなり正確に把握することができます。

父親の名はセル・ピエロ。セルとは、彼が公証人をしていたことを示しています。公文書の作成には欠かせない職業であり、政府や裁判所とつながりができやすく、後年レオナルドがフィレンツェの政府や教会からうけた注文のいくつかは、父親の斡《あっ》旋《せん》によるものもあったと考えられています。一方、母親はカテリーナという名の女性であることは知られていますが、何者であるかは正確にはわかっていません。アラブ系の血筋だ、いやアジアから連れてこられた奴隷だとさまざまな説が賑《にぎ》やかに唱えられていますが、普通に考えて最も可能性が高いのはセル・ピエロの家の土地を借りていた小作農の娘といったところでしょう。いずれにせよ、二人の間には階級差があったので、正式な結婚をすることなくレオナルドをもうけます。

ただ、アントニオ夫婦にとっては初めてできた孫ですから、息子たちの事情によって婚外子とはなったものの、レオナルドの誕生を喜び、村人を集めて披露した初孫の洗礼式の記録を書き残しているわけです。ところでレオナルド（Leonardo）ではなく、リオナルド（Lionardo）と先の引用文で訳したことに気が付かれたかもしれません。当時の綴《つづ》りや文法などは今日ほど固まっておらず、しばしば揺らぎがみられます。当時の文書には両方の綴りが登場し、ほかに公文書にはレオナルドゥス（Leonardvs）という、当時の公用語であるラテン語表記も時おり登場します。

一般的な「ダ・ヴィンチ」という呼び名は、「ヴィンチ村の（出身の）」という意味にすぎません。明治以前の日本と同じで、一部の上流階級しか苗字を持っていなかった時代にあっては、出身地や居住地がそのまま姓の役割を果たしていました。バロック期の画家カラヴァッジョ（ミケランジェロ・メリージ・ダ・カラヴァッジョ）なども同様です。そのため、正式な姓でこそないものの、レオナルドが仮に他の街で生まれていたとしても、「ダ・ヴィンチ」が彼の家系の苗字として機能していたはずなので、つまりはこれを姓として用いても誤りとは言えません（誤りだという記述をよくみかけるので）。

図３　ヴィンチ村の風景

どのような家庭に生まれたか

公証人を代々生業《なりわい》としていた実家は、ヴィンチ村で名士のあつかいをうけていたことでしょう。大量のフィレンツェ国債を保有するほか、多少の田畑も資産として所有しており、そこからあがる地代のおかげで、祖父アントニオや叔父フランチェスコは一生無職でいられました（そのため彼らの名には「セル」が付いていません）。

なんとなくのんびりとした家の雰囲気を感じますが、セル・ピエロだけは栄達を強く望んでおり、レオナルドが生まれたのと同じ年か遅くとも翌年には、アルビエーラ・アマドーリなる一〇代後半の女性と正式な結婚をします。アマドーリ家はフィレンツェで靴の製造業を営んでおり、花の都フィレンツェで一旗揚げようとしていたセル・ピエロにとって、人脈の上でも、持参金付きという面からも理想的な相手だったはずです。彼は早々にフィレンツェに出て、政庁近くに事務所をかまえます。しかし乳児レオナルドにお乳をやるのは実母のカテリーナの役目だったはずなので、レオナルドはヴィンチ村の実家に預けられたままだったと思われます。やがて授乳期間も明ける頃には、カテリーナは近隣の村に住むアントニオ・ブーティ・デル・ヴァッカという窯焼き職人と結婚しています。彼は「喧嘩《けんか》っ早い」を意味するアカッタブリーガという通り名で知られており、村で起きた諍《いさか》いごとの仲裁人として呼ばれるような親分肌の人物です。彼はセル・ピエロの知り合いでもあり、合理的に考えて、決して少ない額では済まない持参金をセル・ピエロが用立てて、カテリーナを押し付けたものとみてよいでしょう。

レオナルドが画家となって描いた女性像は、ルネサンス美術としては珍しく官能性をほとんど前面に押し出していません。むしろ、そのほとんどが母性を主とした姿をしています。そこには、幼くして母と離れ離れになった影響があるのでしょう。なお実母カテリーナですが、アカッタブリーガとの間に数人の子をもうけてまったく別の人生を歩むことになりますが、後にレオナルドの人生にもう一度登場するので、覚えておいてください。

こうして、幼いレオナルドは、ヴィンチ村の祖父母と叔父が暮らす家で、大自然に囲まれて育ちます。叔父フランチェスコはレオナルドと一六歳ほどしか違わず、二人は年の離れた兄弟のような関係だったと思います。というのも、その後フランチェスコは妻アレッサンドラを娶《めと》りますが、子ができなかったため、後年、自らの死期を悟った時、わずかな財産を誰に遺すかを示した遺書を残します。ほどなくフランチェスコは亡くなりますが、遺言書には遺産相続人としてレオナルドの名だけが記されていました。他に一〇人以上もの正式な甥《おい》や姪《めい》(つまりレオナルドの異母弟妹)がいるにもかかわらず、非正嫡の甥レオナルドただ一人に遺産を託すというのは、当時としては異例のことです。彼のレオナルドへの愛情がよくわかる出来事であり、幼い頃家にいたレオナルドを、わが子のように可愛がっていたことがうかがえます。しかし、この異例の遺言相続は揉《も》めに揉めて案の定裁判沙汰となり、五〇代になっていたレオナルドをおおいに憤慨させることになります。すでに著名人となっていたレオナルドは、フランス政府まで動かしてこの裁判にけりをつけようとしますが、結局は、レオナルドの死後に異母弟妹へと戻されるという微妙な判定によって結審します。それほどまでに、婚外子にとって世間は不利にできていました。

継母のアルビエーラの初産は当時としては遅く、二〇代後半のことでした。レオナルドはすでに一二歳になっています。しかし生まれた娘アントーニアも母親も、おそらくは出産時の感染症がもとでほどなく亡くなってしまいます。そしてセル・ピエロは、その年か翌年にはフランチェスカ・ランフレディーニという、まだ一六歳の女性を新たな妻として迎えます。前妻が亡くなってすぐに後妻を娶るのは今日の感覚では冷たい感じがしますが、子をもうけることが何よりも重視された当時としてはごく一般的なことでした。しかしフランチェスカもまた、九年間ほどの結婚生活を送った後、子をもうけないまま、一四七四年におそらく最初の妊娠のトラブルで亡くなります。

五人の母と一六人の弟妹

こうしてみると、当時の出産がいかに危険なものであるかがおわかりになると思います。事実、出産時の感染症（産褥熱《さんじょくねつ》）はペストに次いで女性の主たる死因となっていました。のこされた夫はすぐに次の妻を迎えますが、夫は年齢を重ねているのに、新妻はたいてい一〇代後半の少女です。こうしたことが何度か繰り返されるうちに、何人目かの妻と夫の年齢差はかなり開いていきます。その一方で、都市部では男性が経済的に独り立ちするには同業者組合（ギルド、イタリアではアルテ）で親方（マイスター、イタリアではマエストロ）として認められなければなりません。ギルドにはしかし新規参入者数を制限して既得権益を護《まも》る機能もありましたから、結果的に独身のまま一生を終える男性も相当数にのぼりました。かたや女性側も、結婚するには多額の持参金を用立てねばならず、富裕層でもないかぎり、次女以降の娘は結婚したくてもできない状況にありました。こうして、独身の若い男女が数多くいるなかで、年老いた夫とまだ幼い妻というカップルが街なかを歩く光景が日常的にあったはずです。そのため、この理不尽な状況を揶揄《やゆ》した「不釣り合いなカップル」という主題の絵画があるほどです。

レオナルドの実家はこうした状況の典型的な例です。父のもとに来た三人目の妻マルゲリータは約一〇年の結婚生活をおくり、七人の子を産んで世を去ります。セル・ピエロにとって初めての正嫡男子となった次男アントニオ（同じ名前ばかり登場しますね）が生まれた時、父はすでに五〇歳、非正嫡ながら長男のレオナルドは二四歳になっています。ちなみに三男のジュリアーノが「セル」を継ぐことになり、後年レオナルドが叔父と父の遺産相続で法廷闘争をする直接の相手となります。そして四番目の妻となるルクレツィアが還暦近いセル・ピエロと結婚した時、レオナルドは三〇歳をすぎており、当然ながら新たな継母よりもはるかに年上です。この最後の母も八人の子をもうけたため、結局レオナルドには、一人の実母と四人の継母、そして一六人もの異母弟妹がいたことになります。

確実に言えるのは、もしレオナルドの実の両親が正式な結婚をしていたら、私たちが知るその後のレオナルドは確実に存在しないことです。当時の社会では、親の職業を長男が継ぐのが普通だからです。しかし理不尽なことに、当時の公証人組合は婚外子に門を閉ざしていました。庶子や私生児とも呼ばれる彼ら非正嫡の子息のなかには、ウルビーノという都市国家の主にまで上りつめた傭兵《ようへい》隊長《たいちょう》フェデリーコ・ダ・モンテフェルトロのような成功例も少なくありません。ただ、教皇アレクサンデル六世の庶子で、後にレオナルドも一時期仕えるチェーザレ・ボルジアや、フィレンツェのメディチ家の当主の庶子で教皇レオ一〇世となったジョヴァンニ・デ・メディチのように、成功者の多くはそもそも名家の出身者がほとんどです。それ以外の婚外子は、基本的には、レオナルドの例のように生まれながらにハンデを背負わされていました。

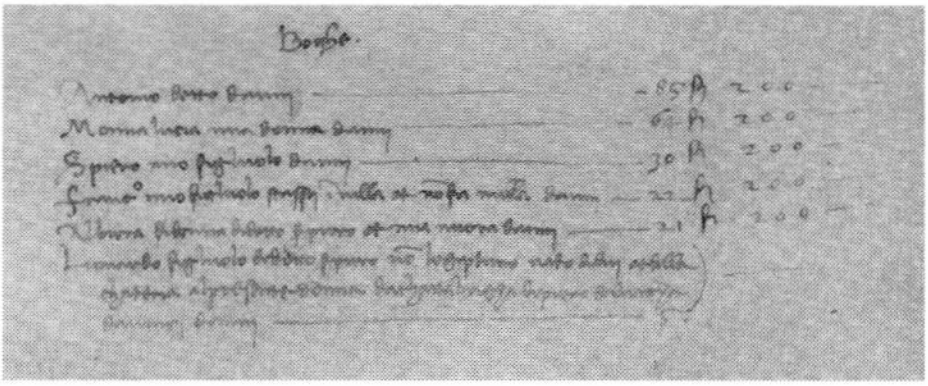

図４　レオナルド５歳時の税申告書。６番目のレオナルドだけ、右欄に200フィオリーニの免税額が書かれていない。実母カテリーナがアカッタブリーガのところに嫁いでいることも書かれている。フィレンツェ、国立公文書館

　レオナルドが五歳の年に、祖父アントニオが提出した同家の税申告書が残っています（図４）。そこでは、少しでも税

を軽くしてもらうために、扶養家族としてレオナルドの名も記入されているのですが、この申請は見事に却下されています。同家の他の者がすべて扶養家族として認められている中で、まだ幼いレオナルドだけが扶養家族として認められておらず、免税措置がとられていません。これもまた婚外子に課せられた理不尽なハンデです。

長男ではないなどの理由で親の職業を継がない場合、当時の男性が生きる道はいくつかに限られていました。戦乱の世なので兵士となる者や聖職者になるケースも少なくないのですが、多くは商家か職人工房に住み込みで働き、給金をもらいつつ経験を積み、いつの日か親方となって独立をはかるケースが一般的です。レオナルドもこのケースに該当し、おそらく一三歳頃にはフィレンツェのヴェロッキオ工房に入門しています。

セル・ピエロにとっては、自分の職を継がないことがわかっている息子に充分な教育投資をする理由がありません。そのためレオナルドは当時の知識階級であれば当然習得するラテン語を覚えることなく育ち、後に研究を始めてから大いに苦しめられることになります。また普通は矯正される左利き筆記もそのまま放置され、もともと右利き用にできているアルファベットを左右反転させて書くようになります。これが有名なレオナルドの「鏡文字」として知られるものです。彼が遺した膨大なノートには、後述するように当時のキリスト教会を否定するような危険な文言も書かれているため、秘密にするために自ら開発したのだといった伝説ができあがりましたが、原因はごく単純なものなのです。もちろん知識階級に属さない庶民も左利きのまま成人したのでしょうが、当時はそもそもほとんどの人が読み書きできないまま一生を終えるので、結局はレオナルドのような特殊な人だけの反転筆記が残ったわけです。

レオナルドが幼いころから何でもできて早々に頭角を現すような、いわゆる早熟の天才ではなかった理由がおわかりだと思います。むしろ、彼はとても不利なスタートラインに立たされていた人物です。しかし皮肉なことに、婚外子として生まれたことはレオナルドにとっての不幸でしたが、結果的に人類にとっては大いなる幸運だったと言えるでしょう。

芸術家という道

さてレオナルドはフィレンツェに出て、アンドレア・デル・ヴェロッキオという芸術家の工房に弟子入りします。ただ、当時はまだ絵だけ描いて生計が成り立つような状況にはありません。芸術工房では、絵画や彫刻といったいかにもな芸術作品のほかに、小さな工芸品から大きな家具まで、さらには楽器や華美な衣服、旗や絨毯《じゅうたん》、そして写本や住宅リフォームを手掛けることもあれば、はては武器や馬具まで扱っていました。

　地位も今日の画家ほど高くはありませんでした。かといって学問的素養が完全に欠落していてなれる職業でもありません。列挙したように広範な分野に精通する必要があり、また絵の具ひとつとっても、今日のようにチューブに詰められたものが売られているわけではないので、自分で調合しなければなりません。そのためには草花や鉱物の知識も必要になります。また扱う主題もほとんどが聖書や神話に基づくものなので、それらの説話や登場人物の知識、神学的解釈まで問われることがありました。さらには、画面に人物を配置するための空間を遠近法によって創り出さなければなりませんが、これは当時最先端の数学的知識を土台にあらたに登場したものでした。

　これらのことを証明するように、当時の人口のほとんどを占めていた農民を出自とする画家は、出家して画家となったフラ・アンジェリコなどを除けば驚くほど少ない数しかいません。

　当時、手習いごとはほとんど父親の仕事を手伝うことで覚えたので、金銀細工を家業にしていた工芸人の子供が芸術家になるケースが最も多く、もしくはそれに近い職業である大工や石工の子もかなりいます。あるいはラファエッロのように、画家の子がそのまま画家になったケースも多いです。

多くはこうした自営業者や職人の息子たちが画家となった一方で、少なからぬ画家が貴族の出でした。たとえばミケランジェロや、レオナルドの最後でかつ最愛の弟子となるフランチェスコ・メルツィもれっきとした貴族の出です。

とはいえ、レオナルドのように、高度に専門的な職種についた父をもつ画家も少なくありません。このことは、芸術家として名をあげるために、文化的素養がいかに重要だったかを如実に示しています。公証人の家に生まれたのも、レオナルドにとって幸運でした。なにしろ仕事柄、当時まだ貴重品だった紙だけは山のようにあったでしょうから。

花の都フィレンツェ

さて講演会などで、よく「レオナルドが現代に生まれていたら」、どんな人になっていたか、何をしているか、あるいは今日の誰に似ているか、といった質問をうけることがあります。個人的な考えにすぎませんが、何者にもなれていないような気がします。というのも、何事につけてもサイクルの早い現代では、彼ほどなかなか作品を発表しない芸術家は評価されにくいと思うからです。科学の面でも、現代の学問分野はあまりに細分化されすぎていて、ごく狭い一テーマに関する専門家になるためでさえ一生をかける必要があります。ひとりの人が、多くの分野で最先端に同時に立てたような時代とは状況が異なるのです。ルネサンスはそれが可能だった最後の時代であり、事実、そうしたルネサンス型「万能人」(ウォーモ・ウニヴェルサーレと呼びます)は、レオナルドだけではありません。

ルネサンスとは一四世紀から一六世紀にわたり、イタリアから西欧諸国に広まった古典復興運動です。ルネサンスは文化だけでなく、社会構造上でも経済などで大きな変革が起きた時代で、群雄割拠の混乱期でもあり、だからこそ彼らのような特色ある人物たちに活躍の場が与えられたと言えるでしょう。ルネサンス無くしてレオナルド無し、と断言できます。そのため、彼のことを理解するためにも、ここでルネサンス社会について少し見ておく必要があります。

フィレンツェに旅したかなりの人が、ずいぶんと小さな街という印象を抱きます。そして、それなのによくルネサンスの中心都市になったものだ、と不思議に思うようです。

実際、フィレンツェは山地の中の盆地にあり、現在でも四〇万人程度の中規模都市にすぎず、まわりにはほとんど天然資源もありません。たいした産物がなければ、原料を輸入して商品に加工して売るしかなく、その点で現代の日本人としては親近感がわきます。フィレンツェは現在のベルギー地域などから生糸を輸入して、染色して美しく織って布地に加工し輸出することで財を築きます。その点で、染色顔料を布地に定着させるための媒染剤の原料となる明礬石《みょうばんせき》がフィレンツェ周辺のトスカーナ地方で産出されたのは、フィレンツェの数少ないアドバンテージとなりました。グッチやフェラガモといった、今日のイタリア発ブランドのかなりの数がフィレンツェを発祥地とするのは、こうした伝統をうけついでいるためです。

フィレンツェの人々は、そうして集まった富を、次なる産業に投資します。これが金融業なのですが、ここにも彼ら独自の工夫が活かされています。というのも、ただお金を貸して利子をとることは旧約聖書で禁じられていたからです。シェイクスピアの『ベニスの商人』でわかるとおり、高利貸しといえばユダヤ人という固定観念がありますが、ユダヤ教徒もキリスト教徒同様、旧約聖書の教えには従っています。ただ、禁止されているのが「同朋《どうほう》」相手の場合だけ、という点がポイントです。同朋とは同民族、同宗派を指しますから、つまりユダヤ教徒とキリスト教徒はお互い「同朋以外」の関係にあります。そうなると、ヨーロッパではキリス

図5　フィレンツェの景観

ト教徒が大部分を占めますから、結果的にユダヤ人にだけ大勢の合法的な顧客がいることになります。

とはいえ、ルネサンス期は経済発展期にあたりますから、貿易の元手や開店資金としてお金を借りたい人も増えていきます。そのため、これを合法化する手段として登場したのが為替《かわせ》手形であり、二種類以上の通貨間で両替をすることで実質的に利子を発生させていました。とくに、今日のドルとユーロにあたる当時の二大基軸通貨はフィレンツェとヴェネツィアの通貨でしたが（まだお互い別の国です）、それらがほぼ同じ重さの金貨だったので、両替にはうってつけでした。こうした仕組みのため、彼らの職業のことを「両替商」と呼び、近代的銀行業の原型となりました。彼らの組合である両替商組合は繊維業と並んで最も財力があり、都市運営にも絶大な力を持っていました。

ルネサンスという特殊な社会とメディチ家

今日のイタリアにおけるいわゆる主要五都市（ローマ、ナポリ、ミラノ、フィレンツェ、ヴェネツィア）は、当時はみなそれぞれが都市国家として独立しており、互いに覇権を競う戦乱時代にありました（図6）。もちろんローマ教皇と神聖ローマ皇帝（ドイツ皇帝）という、聖俗の両界をそれぞれ統べる立場の人はいたのですが、十字軍後に発展した商業をうけて、都市内部では商人層の経済力が増し、なかでも有力なギルドが出す代表者たちによる合議制で実質的に都市運営がなされるようになっていました。中世末期からはじまったこの群雄割拠状態は、周辺都市をのみこんでいったいくつかの有力都市国家による分裂状態へと、徐々に収斂《しゅうれん》していきます。

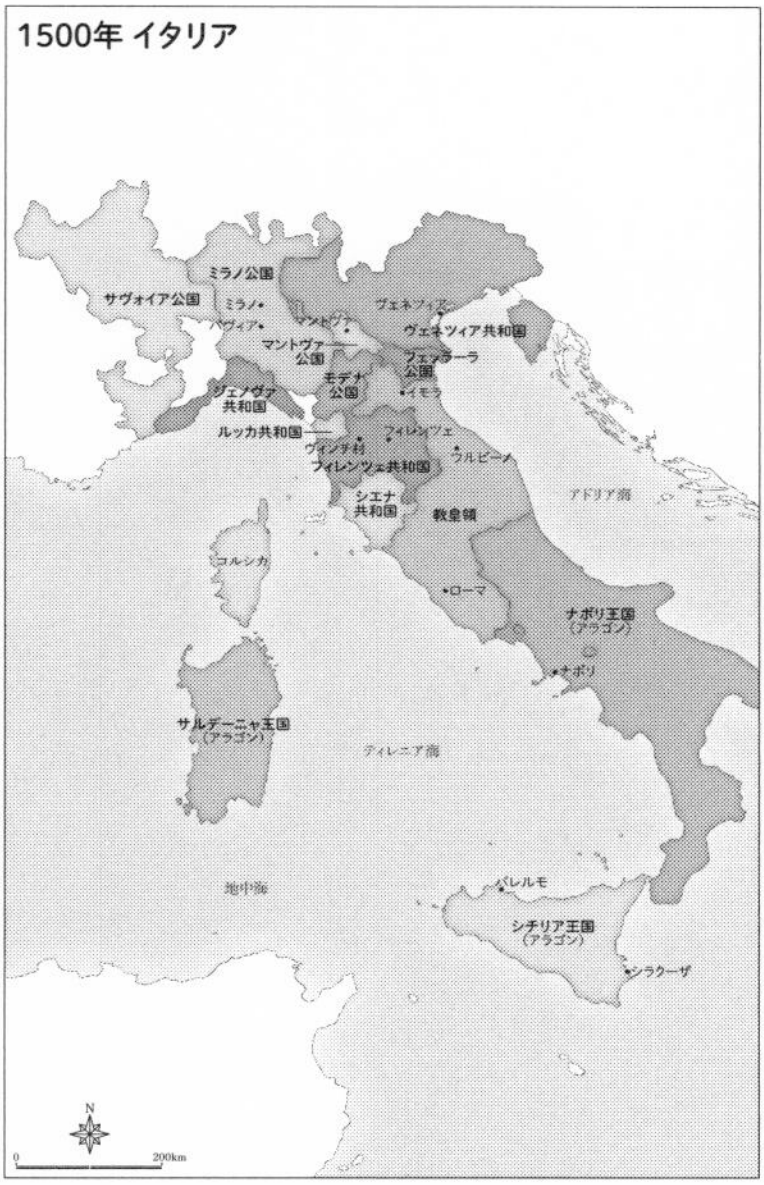

図6　当時のイタリアの勢力図　地図デザイン・網谷貴博（atelier PLAN）

ルネサンスはまさにこうした状態によって始まりました。というのも、有力ギルドに限られたとはいえ、話し合いによって社会を動かすやり方は、ヨーロッパにおいてながく存在しない形態だったからです。約一〇〇〇年間も続いた中世や、その前のローマ帝国時代にもそのような共和的な政治形態は無かったので、彼らが規範とすべきはその前の時代、つまり共和政ローマであり、さらには古代ギリシャにおける民主政ポリスだったのです。

なぜルネサンスが、古代ギリシャ・ローマの再評価運動であったかがおわかりだと思います。彼らは自分たちの都市国家を運営するために、まずは法律や政治、そしてその思想や理念を学ぶ必要があったのです。ルネサンスというと私たちはまっさきにルネサンス美術を思い浮かべますが、芸術は実はルネサンスという大きな歴史の流れのごく一部にすぎません。

こうしてルネサンスが産声をあげた地がフィレンツェだったのですが、そこに至るまでにトスカーナ地方は何度も危機に襲われました。イングランドとフランスは「百年戦争」の戦費を調達するために、トスカーナの諸銀行に対して天文学的な借金を抱えてしまいます。返せなくなってしまったイングランド王は、こともあろうに借金を踏み倒してしまいます。さらにペストの最初の大流行が重なって、一四世紀なかばにフィレンツェの人口は激減し、主要な銀行家だったバルディ家やペルッツィ家などが軒並み倒産してしまいました。

有名なメディチ家もこうした銀行家のひとつです。彼らは英仏王家ではなく教皇庁の金庫番のようなことをしていたために「百年戦争」のあおりをうけた連鎖倒産に巻き込まれることなく生き残り、経済力においてフィレンツェで突出した存在となります。ただ建前上はフィレンツェはあくまで共和国なので、あからさまに君主然とはふるまわず、しかし実質的には支配者となります。各都市国家にはこのような「僭主《せんしゅ》」と呼ばれる存在が徐々に現れていました。ルイ王朝を倒したフランス革命政府の英雄ナポレオンが、自ら皇帝となってしまったように、歴史は常に君主政と共和政の間を行ったり来たりするものです。フィレンツェのメディチ家も、他の都市国家の僭主たちも、何度か追放されては復権することを繰り返しています。彼らが公的に君主となり、共和政を終わらせるのはレオナルドらが活躍してから少し後のことで、共和政の終焉《しゅうえん》とともに、その政治理念を背景として生まれたルネサンスも終わりを告げることになります。

ともあれ、レオナルドが生きた時代は、僭主たちに率いられたいくつかの有力都市国家同士によってイタリア半島が分割され、お互いに牽制《けんせい》しつつ睨《にら》みあっているような状況にありました。フィレンツェではメディチ家の当主ロレンツォ・デ・メディチ、通称イル・マニフィコ（＝豪華なる人）が政治と経済の実権を握っていました。これから見ていくように、こうしたルネサンス特有の社会状況のおかげでレオナルドは頭角をあらわし、そしてまたそのせいで不運にも見舞われるようになります。

第二章　若き日のレオナルド

それでは、次にレオナルドの修業時代を覗《のぞ》いてみましょう。いきなり大活躍するタイプの人ではありませんが、将来万能の人になる素地がさまざまな面ですでに顔をのぞかせています。

『美術家列伝』の著者ジョルジョ・ヴァザーリは、父セル・ピエロが我が子の描いたスケッチを親しい友人であるヴェロッキオに見せた結果、その才能にうたれたヴェロッキオが芸術の道へ進ませるよう助言したと書いています。いかにも天才の名にふさわしいスタートですが、ヴァザーリには誇張や創作も非常に多いので、差し引いて考えなければなりません。ともあれ、ヴェロッキオはメディチ家のおぼえめでたい芸術家であり、そのため政府関連の仕事を多くひきうけていました。政府系の芸術作品の注文契約もやはり公文書となるので、セル・ピエロは公証人として、ヴェロッキオと何度も顔をあわせていたことは確かでしょう。

アンドレア・ディ・ミケーレ・デ・チョーニ、通称アンドレア・デル・ヴェロッキオは一四三五年頃の生まれ。レオナルドの一七歳ほど年長にあたります。はじめ金工師としてキャリアを積み、当時のフィレンツェで一、二をあらそう規模の工房をかまえていました。最も得意としたのはブロンズ（青銅）彫刻であり、代表作に〈ダヴィデ〉（フィレンツェ、バルジェッロ美術館）などがあります。面倒見の良い、明るい性格だと伝えられており、優れた芸術家であるのみならず、良い教育者でもありました。彼の弟子となったことは、レオナルドにとって大いなる幸運となります。

工房での修業生活を経て一人前になるまでには何年もかかります。最初は小さめの簡単なデッサンをするだけで、あとはほとんど掃除や使いっ走りの毎日が続きます。次には顔料や石膏《せっこう》、漆喰《しっくい》などの材料の作り方を習得します。そして親方はひとつの作品を仕上げる度に何枚かの下絵や小型モデルを制作するので、弟子たちはそれらを教科書にして、ひたすら模写をして学びます。現代の美術学校のかわりとはいえ、講師が丁寧に教えるような方法ではないので、プロの仕事をひたすら模倣することが教育のほとんどすべてです。フィレンツェのサンタ・マリア・デル・カルミネ教会ブラン

図7　フィレンツェ市内のヴェロッキオ工房があった場所

カッチ礼拝堂に、ルネサンス絵画の創始者たるマザッチョの壁画も残っていたので、そこに通って模写をする訓練も、ミケランジェロら多くの芸術家がおこなっています。

　数年たつうちに、親方の作品の下塗りなどを徐々にまかされるようになります。自分で主題を選んで、少し大きめのデッサンを描いて練習するころには、工房の弟子たちの中で誰が上手かはっきりとした序列ができ、それぞれの得意分野が固まっていきます。そうなれば助手として、親方の作品の隅っこの一部、たとえば楽器が得意なら楽器の描画をまかされるようになります。ちょうど漫画家とアシスタントの役割にも似て、主人公だけを親方が描いて、風景を助手が描くといった分担がよくおこなわれていました。

　こうしてヴェロッキオの工房では、建築から彫刻、絵画までの広範な仕事に一致協力してあたっていました。レオナルドが工房にいた頃には、ラファエッロの先生にあたるペルジーノも在籍しており、また一時期ボッティチェッリも共同作業のために工房に通っていました。こうした優秀な弟子が数多く育ったのは、ヴェロッキオが弟子や協働者たちに適度に仕事を分担させていたおかげです。

　フィレンツェの商事裁判所の依頼によって制作された〈聖トマスの不信〉を例にとって見てみましょう（図8）。磔刑《たっけい》後に復活したキリストが本物かどうか疑った使徒トマスが、ロンギヌスの槍《やり》で突かれた脇腹の傷口に指を差し込んで確かめる主題です。一四六五年に発注されたので、制作が始まった時点ではレオナルドは工房に入ったばかりの新入りにすぎません。ヴェロッキオ工房は人気があるため、来る依頼を次々と請け負って、多くの仕事を同時に抱えてしまう癖があります。そのためこの作品も制作にずいぶんと時間がかかってしまいます。前述した〈ダヴィデ〉や後述する〈キリストの洗礼〉と青銅球工事などを挟みつつ、ようやく一四七九年にキリスト像だけが完成します。

しかしほどなくヴェロッキオの関心は、ヴェネツィア共和国から依頼された巨大なブロンズ彫刻〈コッレオーニ騎馬像〉の計画（後述）に移ってしまいます。一四八一年から集中して始められた騎馬像制作には、すでに三〇歳近かったレオナルドら多くの弟子たちが関わったと思われ、レオナルドが後に自分で騎馬像を制作するにあたって大いに強みとなりました。

一四八六年にヴェロッキオはとうとうヴェネツィアに移住してしまい、二年後にそのままそこで亡くなってしまいます。一方、〈聖トマスの不信〉のトマス像は一四八三年に完成し、同年六月にオルサンミケーレ聖堂に設置されました。ここで興味深いのは、二体のうちトマス像は明らかにヴェロッキオ以外の人によって制作されている点です。二体の立像は鋳造に用いられた青銅の銅と錫《すず》の配合比も異なるため、色合いからして違います。さらに手の部分をよく見ると、キリストの手は静脈もくっきりと浮き出てごつごつと筋張っているのに対し、トマスのそれは穏やかに丸みを帯びて、より自然に表現されています（図9）。

この違いは、ヴェロッキオ工房における制作実態をよく物語っています。ヴェロッキオは彫刻家としてだけでなく、工房の主としてマネジメントする役目も持っており、優秀な弟子が育つと、かなりの割合で作業を分担、いえ丸投げと言ってもよいような任せ方をしていたのです。

図8（上）　アンドレア・デル・ヴェロッキオと工房、〈聖トマスの不信〉、1465-83年、ブロンズ、フィレンツェ、オルサンミケーレ聖堂
図9（下）　同、手の部分

師匠との共作

「（ヴェロッキオが）洗礼者ヨハネがキリストに洗礼を施すところを板絵に描いていた時、リオナルドは布をささげもつ一人の天使を描いた。まだ幼いにもかかわらず、リオナルドの天使は、アンドレアが描く人物像よりも優れたマニエラ（様式・技法）で描かれていた。この少年が自分よりも習熟していることにショックを受けたアンドレアは、二度と絵筆を手にとろうとはしなかった」と、例によってヴァザーリが書いています。

レオナルドの出来栄えを見てヴェロッキオが本当に筆を折ったことが真実かどうかは定かではありませんが、これ以降のものだと断定できるようなヴェロッキオ単独による絵画作品が無いこともまた確かです。確実なのは、この〈キリストの洗礼〉（図10）が、師とレオナルドとの共作であるという事実です。レオナルドはここで、天使と後ろの風景を担当し、天使の体を斜め後ろに捻《うな》るといった難易度の高い技術を披露しています。

同作品における師と弟子の分担識別は、様式上の違いだけでなく、レオナルドの担当とされる部分にだけ、テンペラ（卵を用います）だけでなく油彩も用いられていることによります。レオナルドは、板絵に適した伝統的技法であるテンペラに加え、北方（現在のオラン

図10　アンドレア・デル・ヴェロッキオ、一部（天使および左遠景）はレオナルド・ダ・ヴィンチ、〈キリストの洗礼〉、1472年頃（ヴェロッキオ主体）、のち中断を挟んで1475年頃（レオナルド中心）、板にテンペラ（ヴェロッキオ部分）、一部油彩（レオナルド部分）、180×152 cm、フィレンツェ、ウフィツィ美術館

ダ・ベルギー地域）からもたらされたばかりの油彩技法をいちはやく導入しようとしています。

ヴェロッキオの兄が修道院長をつとめていた修道院からの注文で、院長としての在任中に中断期間があり、そのことが、本作品の制作がいったん中断されて再開された理由だと思われます。そこから、まずヴェロッキオ主体で制作が開始され、主要人物群が描かれます。その後中断期間を挟んで、兄が院長に返り咲いたことをきっかけに制作が再開されたものと考えます。二度の制作期間（つまり師の兄の院長在任期間）は、レオナルドが一九歳から二一歳までと、二三歳から二六歳頃に相当します。レオナルドは二〇歳のときに、自らも親方としてサン・ルーカ同信会（画家の組合）に登録されています。ただ、だからといってすぐに自分の工房を開いてやっていけるような資金の蓄えも顧客もいないので、師匠の工房に出入りして下請けや協働作業を続けます。

こうしたことから推論すると、おそらく再開するにあたって、残った部分がすべてレオナルドに委ねられたのでしょう。いずれにしろ、ヴァザーリが記すような少年と言ってよい年齢ではもはやありません。ひとつ気になるのは、右端の洗礼者ヨハネと中央のキリストとの描き方の違いです。前者はやや黄色っぽい肌をしている一方で、後者は茶色がかっています。衣服も前者のパステル調の明るい色彩が目立ちます。そして腿《もも》の部分を比べると、前者の膝から下がグニャリと曲がって構造的に正しくない一方、後者は両足とも解剖学的にかなり自然です。さらには、両者の手の甲を比べると、前者のそれが筋張って骨や静脈がくっきりと浮かんでいるのに対し、後者が合わせる手は自然な丸みを帯びています。

先に見た〈トマスの不信〉の手の比較写真を思い出していただきたいのですが、本作品のキリストと洗礼者ヨハネの両手も、それとよく似た対比を見せています。ただ不思議なのは、絵画のキリストの手は彫像のトマスの手に似て、絵画のヨハネの手が彫像のキリストの手に似ていることです。可能性はいくつかしかありません。まず、「彫像のキリスト（の制作）

⇩ヴェロッキオ」という大前提に立てば、「絵画のヨハネ⇩ヴェロッキオ」となります。すると、「彫像のトマス⇩絵画のキリスト⇩他の弟子、絵画の天使と背景⇩レオナルド」となります。つまり絵画にはヴェロッキオとレオナルド以外の第三者の手が入っているとみなされますが、この仮定で少し妙なのは、絵画で親方ヴェロッキオが主人公たるキリストを手掛けず、サブキャラクターであるヨハネを選んでいることと、人体構造に詳しい彫刻家たるヴェロッキオが、ヨハネの曲がった脛《すね》を描くだろうかという点です。

それならばと、「絵画のキリスト⇩ヴェロッキオ」と仮定すると、今度は「彫像のキリスト像⇩ヴェロッキオではない誰か」となり、〈トマスの不信〉を受注したことがヴェロッキオの成功への大きな弾みになったことを考えると、妥当とは、ちょっと思えません。あまりこれらの作品にばかり拘泥してはいけませんが、筆者は「彫像のキリスト⇩ヴェロッキオ、彫像のトマス⇩絵画の天使と背景・さらにはキリストまで⇩レオナルド、絵画のヨハネ⇩他の弟子（それもかなり師の様式に忠実な人）」という組み合わせの可能性もあると考えています。この方が様式上の相違の説明は容易になりますし、ヴェロッキオは専門としない絵画の注文をわりあい弟子たちに丸投げすることも多かったからです。だからこそ、彼の工房からは専門たる彫刻の弟子が育たなかった反面、経験値を積みやすかった絵画において、多くの優れた弟子が輩出したことも説明できるのです。いずれにしても、レオナルドはこのような環境下で腕を磨いていきました。

工房での教育とアカデミア

工房での美術〝教育〟なるものを想像させる作品があります。ルーヴル美術館にある〈衣《い》襞《へき》習作〉（図11）は、今日の美術系大学でそのまま手本にできそうな濃密なデッサンです。当時の工房では、椅子に掛けた布をデッサンするといった訓練がおこなわれており、また彫刻家にとっては人体こそ最重要のモティーフなので、実際の人間をモデルにデッサンすることもおこなわれていたでしょう。このデッサンも実際の人間に布をまとってもらったところをデッサンしたに違いなく、よく似た構図からして、単独デビュー作となる〈受胎

図11　レオナルド・ダ・ヴィンチ、〈衣襞習作〉、1470〜84年頃、パリ、ルーヴル美術館

図12　アゴスティーノ・ヴェネツィアーノ（アゴスティーノ・デイ・ムージ）、〈バッチョ・バンディネッリのアカデミア〉、1531年、ニューヨーク、メトロポリタン美術館

告知〉（口絵1）を描くための直接的な訓練となったはずです。

　レオナルドからは少し時代が下りますが、バッチョ・バンディネッリという彫刻家（ミケランジェロのライヴァルでもありました）が、自らの工房をアカデミアと名付けて、弟子たちに美術教育を施しているところを描いた、アゴスティーノ・ヴェネツィアーノによる版画があります（図12）。「アカデミア」とあるのは、古代ギリシャのプラトンの学堂（アカデミア・プラトニカ）をルネサンスにおいて再興しようとしたもので、今日のアカデミーの原型のようなものです。実際に、一五三〇年代にはローマで、次いで一五四〇年代後半にはフィレンツェで、いずれもバンディネッリが私的なアカデミアを始めています。版画では、部屋に集まった若者たちが、蠟燭《ろうそく》の明かりのもと、ヴィーナスの小像を手にしたバンディネッリのまわりで、思い思いにスケッチをしている様子が描かれています。部屋の棚の上にはさまざまなポーズをした小像や壺《つぼ》などが並べられており、日々こうした修練の機会が設けられていたことがわかります。おそらく、これと似たような実践的な教育が、ヴェロッキオ工房でもなされていたことでしょう。

レオナルドもまた、アカデミアを再興しようとしたひとりです。もっと後の四〇代後半になってからのことですが、自らの学校のエンブレムを作ろうとしたのでしょう、彼の原画に基づいて作られた「アカデミア・ディ・ヴィンチ」と銘打たれた六種類ものエンブレムが残っています（図13）。ひと筆書きになっている複雑な紐状《ちゅうじょう》紋様で、ひとつ描くのも大変ですから、彼がかなり熱心にエンブレムに取り組んだことがわかります。しかし、彼の閉鎖的な性格が災いしてか、学校を開くことはついにありませんでした。それとも、ミラノ時代に弟子五、六人で運営していた彼の小規模な工房を、自らアカデミアと呼んでいたのかもしれません。

図13　ミラノの逸名版画家、レオナルド・ダ・ヴィンチのデザインに基づく、〈アカデミア・ディ・ヴィンチのエンブレム〉三種、1497–1500年、銅版画、ミラノ、アンブロジアーナ絵画館

図14　ヴェロッキオ工房、〈洗礼者ヨハネの斬首〉、サン・ジョヴァンニ洗礼堂のための銀製祭壇、右側面下段レリーフ、1478–80年（祭壇全体は1367–1483年）、フィレンツェ、大聖堂附属美術館

工房内協働と工学的素養

大きな仕事であれば、いくつかの工房が分担して取り組むのは当時として当たり前のことでした。たとえばフィレンツェの真ん中にあるサン・ジョヴァンニ洗礼堂のための銀製祭壇は、一三六七年に制作が開始されたもので、フィレンツェで信仰上最も重要な建物だけに、総銀製の非常に豪華なもので、そのせいもあって完成までに一〇〇年以上もかかっています。そして最後の右側面の二パネルを、フィレンツェ盛期ルネサンスを代表する二大工房が手がけました。上段がポッライウォーロ工房、そして下段がヴェロッキオ工房です（図14）。

レリーフ（浮彫り）といっても人物小像はそれぞれ別個に作られて嵌《は》め込まれたもので、それぞれが単独立像として成立するほどに立体的なものです。レリーフ面の左半分に洗礼者ヨハネの斬首場面が展開され、中央に剣を高々と振り上げる兵士の姿があります。これほど大掛かりな作品であれば、やはり全体構想と主人公（つまりヨハネと斬首係）を親方本人が手掛けたとみるのが妥当で、それ以外の周辺の人物像を弟子たちが手分けして制作したと考えるべきでしょう。

ここで注目したいのは、画面右側にいるふたりの兵士です。彼らは非常に立体的で、甲《かっ》冑《ちゅう》の細かな装飾も派手で非常に目立ちます。特に、右端の兵士がつけている兜《かぶと》は、レオナルドによる〈甲冑をつけた戦士の上半身スケッチ〉に描かれたものを思わせます（図15）。通常、このスケッチは師の〈コッレオーニ騎馬像〉（図41）を手伝っている最中の準備素描だと考えられていますが、後頭部の特徴的な羽飾りなどはむしろこの銀製レリーフの兵士により近いと言えます。

もしレオナルドがこの彫像を手掛けたとすると、単独デビュー作となる

図15　レオナルド・ダ・ヴィンチ、甲冑をつけた戦士の上半身スケッチ、1480年頃、ロンドン、大英博物館

図16　レオナルド・ダ・ヴィンチ、起重機のスケッチ、『アトランティコ手稿』、f. 808r.

〈受胎告知〉などを手掛けた後の二〇代後半に相当します。レオナルドはすでに充分に経験を積み、工房で親方に次ぐ地位を得ていておかしくありません。レオナルドはこのレリーフとほぼ同時期かすぐ後に〈聖ヒエロニムス〉（口絵6）などを手掛けることになりますが、そこで人体への深い解剖学的関心を見せています。ひるがえってこのレリーフを見直すと、右端の兵士の下腹部のふくらみや、胸当ての下にわずかに見える肋骨《ろっこつ》や胸筋の凹凸は、作り手の人体構造の正しい理解を示しています。一般的に、彫刻家の弟子にもかかわらず、レオナルドには彫刻分野での現存作品が無いとされています。しかしひょっとすると、このレリーフ小像は、先に見た〈聖トマスの不信〉のトマス像などと並んで、彼の彫刻現存作品である可能性があるもののひとつかもしれないのです。

　修業時代に、後のレオナルドの工学的素養となった重要な事例があります。フィレンツェのシンボルであるサンタ・マリア・デル・フィオーレ大聖堂のクーポラ（図5の中央に写っている大クーポラ）は、ルネサンス初期の大建築家フィリッポ・ブルネッレスキによる記念碑的な大作なのですが、彼が世を去った時、塔頂部に青銅球を載せる作業だけが未完のままとなっていました。この事業を請け負ったのがヴェロッキオ工房であり、二トン以上もある重量物を、約一〇〇メートルの高さまで持ち上げるという困難なものでした。それまで誰も経験したことがなかったような大作業だったのですが、塔頂部にランタン（採光塔）を設置するためのクレーンを、当のブルネッレスキ本人がすでに考案していました。その設計図は何人かが写して伝えており、同じものをレオナルドもスケッチしています（図16）。

一四六八年頃に受注されたこの工事を、ヴェロッキオ工房は三年ほどで成功させています。この時、工房にいたレオナルドは一八歳前後です。工事関連のスケッチがあることから考えても、親方資格を取る少し前のレオナルドは、ヴェロッキオの右腕のようなことをしていたのではないかと推測されます。後のレオナルドの工学分野での目覚ましい活躍を考えれば、この事業によって彼の工学的素養が培われたことは間違いないでしょう。

風景素描と単独デビュー作

二〇歳で親方資格を得た頃から、画家としてのレオナルドが姿を現します。

〈雪のサンタ・マリアの日〉は、年代が明記されたレオナルド最初のデッサンです（図17）。

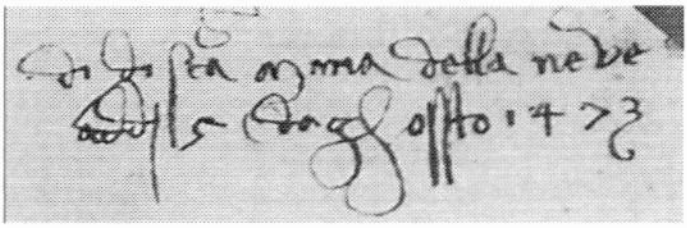

図17（上）　レオナルド・ダ・ヴィンチ、〈雪のサンタ・マリアの日（アルノ川渓谷の眺望）〉、1473年8月5日、19.5×28.6 cm、フィレンツェ、ウフィツィ美術館版画素描室　図18（下）　同、文字部分の左右反転拡大図

左上端に書かれた文字が鏡文字の例で、反転すれば「雪のサンタ・マリアの日一四七三年八月五日」と読むことができます（図18）。先述した通り、幼い時に右利き筆記に矯正されることがなかったことによりますが、後にしたためることになる自薦状や公的な文書などでは、彼も右筆記で記したり代書してもらうなどしています。しかし誰に見せるでもないこの種のデッサンやメモのたぐいは、ほぼすべて鏡文字で記されています。

左利きによる筆遣いは、彩色画よりもデッサンにおいて容易に見ることができます。左利きだと、左手首をコンパスの支点のように用いるので、右上がやや膨らんだ曲線が並ぶからです。〈雪のサンタ・マリアの日〉の随所に見出《みいだ》せるこの特徴的な曲線によるハッチング・ラインは、このデッサンが彼の手になることを示しています。

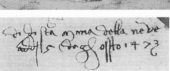

これがいったいどこの風景なのか、トスカーナ地方でモティーフとなった場所を探す努力が続けられてきました。おかげでいくつかのモティーフが特定されており、たとえば、遠景中央部の向かってやや左よりに小さく描かれた円錐形《えんすいけい》の山が、ヴィンチ村から北に一〇キロメートルほどのところにあるスンマーノ山であることがわかっています。しかし、開拓などによって現在と当時の地形が多少変化していることを差し引いても、この風景と一致する地点はまだ見つかっていません。おそらくこれは、実際のモティーフが部分的に採用されてはいるものの、全体的には彼が頭の中で繋《つな》ぎ合わせた景色なのでしょう。

レオナルドが書き残した大量のメモ、ノートの類を手稿と呼びますが、その中で彼は観察が大事だと何度も述べています。しかしその一方で、観察によって得たものを、ベッドのなかで「想像して」何度も描くのは良いことだとも助言しています。つまり彼は実際の景色を観察し描き取ったのち、それをベースに彼なりの理想化をおこなったのではないでしょうか。こうした風景の理想化こそ、後に〈ラ・ジョコンダ〉(口絵13)などで描かれるようになる、彼独特の幻想的な風景の原点とも言えるでしょう。

それまで風景とは、聖書の説話場面の背景にすぎませんでした。しかしここには、そういった風景を描くための理由がありません。あるのは、純粋な風景表現です。この点で本デッサンは、西洋美術史における、風景そのものを自立した主役として描いた、最初の作例のひとつとしての重要性を有しています。

彼の単独デビュー作にあたるのが、〈受胎告知〉です。フィレンツェのすぐ外側にあるモンテ・オリヴェートのサン・バルトロメオ修道院に最初掛けられていた板絵ですが、父セル・ピエロが後に同修道院の公証人となっているので、父の口利きによる注文かもしれません。聖母マリアの処女懐胎を大天使ガブリエルが告げる場面ですが、受胎告知の伝統的な構図に則《のっと》りながらも、遠近法を厳格に導入しようと試み、また背景に遠くまで奥行きのある風景を置いたりと、彼の挑戦心をよく示した野心的な作品です。意欲はサイズにもあらわれており、彼の現存単独作としては壁画の〈最後の晩餐《ばんさん》〉に次ぐ大きさを誇っています。言い方を換えれば、彼はデビュー作を超える大きさのタブロー（移動可能な絵画）作品を、その後ついに仕上げることなく終わることを意味します。

レオナルドがうけた単独注文だとしても、工房の同僚や弟子たちとともにあたることはすでに述べてきたとおりです。画面全体をおおう一点消失遠近法の正確さに比べると、画面を横切って前景と中景とを隔てている腰壁が変わった形をしていたり、マリアの右腕がどうみても長すぎるなど、いくつかの奇妙な点の原因はこうした協働作業にあるのかもしれません。

もちろんそれらの原因をレオナルドの未熟さに帰することも可能で、他にも人物には後のレオナルド特有ののびやかさはなく、動きもおそろしく硬い印象を与えます。

それでもこの作品には、後に彼の特徴となる要素がすでにいくつも示されています。植物に対する博物学的な好奇心、画面に広がりを与える遠近法、画面全体を落ち着いた均衡状態にはめこむ構図センスと、それが画面にもたらす不思議な静けさ。画面奥に広がる自然の風景に対する関心、衣服の襞《ひだ》にみられる卓越した細やかな技術。なかでも、マリアの足もとに敷かれたテラコッタ（素焼き）のタイルの表面には、焼成工程で水蒸気が抜け出た小さな孔《あな》がびっしりと描かれています。この板絵が、修道院で信者のそばには掛けられないことがわかっている状況で、これほど緻密に写実的に描き込むような画家を、筆者は他に知りません。レオナルドのリアリストぶりがよくわかる部分ですが、このようなことをしていれば、一作品を完成させるのに膨大な時間がかかってしまうわけだと納得もできてしまいます。彼の完成作品が非常に少ないことのひとつの説明となるかもしれません。

さらに、天使の翼は注目に値します。通常ならば大天使の翼は金色や虹の極彩色で描かれますが、この妙に生々しい描写は、実際の鳥をじっくりと写生した訓練の成果以外の何ものでもありません。後の飛翔実験にかける彼の執念を知っている私たちにとって、このことは非常に暗示的です。後述するように、のちに徹底したリアリストとなるレオナルドは、デビュー作ですでに、飛行する天使であれば、空を飛ぶ鳥と同じような翼を持っているに違いないとの信念を示しているのです。彼は「美しいことが必ず善いこととはかぎらない」という言葉も残しています。これはおよそ画家の言葉ではなく、博物学者や科学者の言葉です。

さらに、中央の風景が青灰色でぼんやりと描かれている点も重要です。これは大気中の水蒸気による乱反射によって生じる効果で、空気遠近法（大気遠近法）と呼ばれています。この現象は、後にレオナルド自身が見出すことになるのですが、この時点ではまだ理論化はしていません。しかし、中央奥の風景表現は、レオナルドがすでにこの時点で感覚的・経験的に把握していたことを教えてくれています。

このように〈受胎告知〉は、粗削りながらもレオナルドの後の広範な分野における思索につながる予告編となっています。

〈ブノワの聖母〉が持つ「醜さ」の重要性

ウフィツィ美術館にある紙葉の一枚に、「一四七八年一二月、二点の聖母像にとりかかった」という記述があります。鏡文字で書かれた「bre」の直前で紙葉が切れているのですが、残っている部分に「d」の先端らしきものが見えているため、同年末の一二月（dicembre）のことだと考えられています。この年レオナルドは二六歳であり、このメモからは、徐々にヴェロッキオ工房への依存度が減り、自らの工房が直接うける制作依頼もちらほらあったことが想像できます。

当時、一般的に絵画制作の注文数が最も多かったのは、現存数からみても疑いなく聖母子像とキリスト磔刑図《たっけいず》の二主題です。両主題とも教会の祭壇画などに描かれるものとして高い需要をほこっていましたが、数としては個人注文による小サイズ作品が圧倒的に多かったと思われます。レオナルドのメモにある「二点の聖母子像」も、おそらくはそうした個人注文によるものだったに違いありません。まだ彼はフィレンツェを代表する画家というわけではなく、そのため価格的にも巨匠よりは頼みやすいはずで、それならば想定されるのは為政者や大商人よりも、むしろ中規模商人層からの注文が主だったことでしょう。

メモにある「二点の聖母子像」として、最も可能性が高いと考えられるのが、〈ブノワの聖母〉（口絵3）と、通称〈猫の聖母〉と呼ばれるスケッチ（図19）です。後者をもとに最終的に彩色された作品は見当たらないのですが、それまでの〈受胎告知〉や〈カーネーションの聖母〉（口絵2）などにみられた人体描写の硬さと異なり、〈ブノワの聖母〉と〈猫の聖

図19　レオナルド・ダ・ヴィンチ、聖母子像のためのスケッチ（通称〈猫の聖母〉）、1478年頃、ロンドン、大英博物館

母〉の人体の輪郭は曲線に富んで柔らかく、その間に、レオナルドの個人様式に大きな変化があったことを示しています。

レオナルドは左利きのため、影を描く際、右下から左上へかけての線を並べます。この特徴のため、レオナルドのデッサンは識別しやすく、本作にもマリアの首筋や胸部などにそのタッチを認めることができます。迷いのない最小限の数の線だけで描かれた頭部の、丸みを帯びた優しげなマリアの表情が印象的です。

一方の〈ブノワの聖母〉は、板絵の顔料層を剥離させてカンヴァスに移すという荒療治でダメージを受け、その後加筆もかなりされたようで、表面の筆致の見極めは容易ではありません。ただ、マリアの鼻梁《びりょう》の明確な線などは、後にレオナルド絵画の特徴のひとつとなる、

「輪郭線を描かないためのスフマート（ぼかし）技法」が全面的には適用されていないことを示しています。その一方で、マリアの表情の柔らかさなどはグラデーションの微妙な変化によるものであり、これは後のスフマート技法で多用される「筆のかわりに指の腹などで、こまかく画面を叩《たた》いて色を置く」という技法のはしりだとも考えられます。つまり、〈ブノワの聖母〉と〈猫の聖母〉にみられる個人様式の発展段階は、紙葉に記された一四七八年頃のものとしても矛盾はありません。

両作品でさらに注目すべきは、どちらも聖母子が半円形の上部構造を持つニッチ（壁龕《へきがん》）の手前にたたずみ、さらに右後方にある窓の位置とサイズ、形状が非常によく似ている点です。つまり二枚は同じ場所にモデルを座らせてスケッチされたに違いなく、であれば、そこはレオナルドの独立工房のアトリエであるはずです。

さらに興味深いのは、〈猫の聖母〉でイエスが抱えているのが猫という点です。というのも、猫はときに悪魔的な動物とみなされていたからです。もしこのデッサンに基づいて完成された彩色画があったならば、猫ではなく、受難の象徴たる子羊などに描き換えられていたはずです。ではなぜここで猫を抱いているかと言えば、ごく単純に、それが最も身近にいる動物だからです。

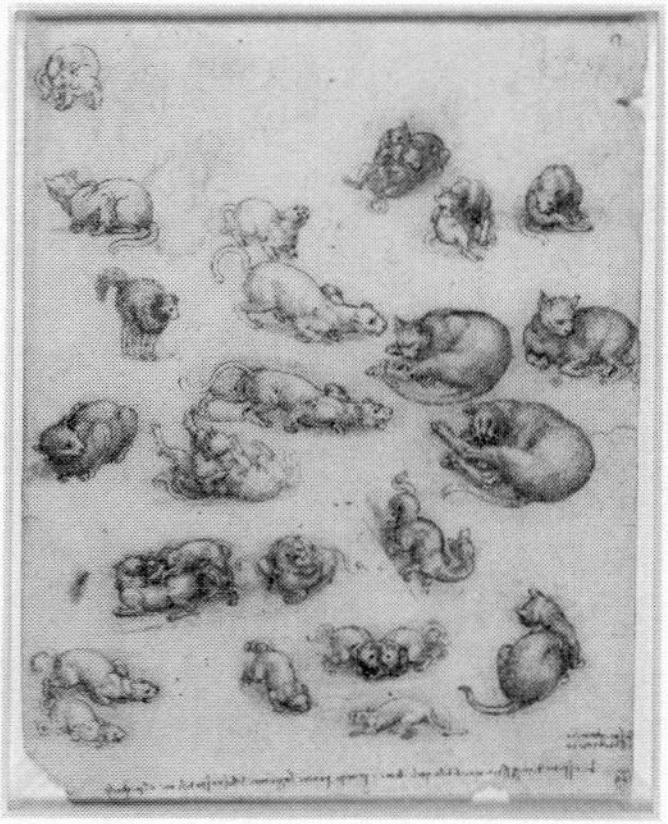

図20　レオナルド・ダ・ヴィンチ、〈猫百態（猫のさまざまなポーズのスケッチ）〉、1513年頃か、ウィンザー城、王立美術館 RL12363

レオナルドによる猫のさまざまなポーズのスケッチ（図20）は、彼の注意深い観察力をよく示しています。動くものの一瞬をとらえる訓練のために、猫はかっこうの観察対象だったでしょう。画面の中央には小さな竜がいて、猫を描くうちにレオナルドの想像力がふくらんでいく過程を想像することができます。なお、信憑性《しんぴょうせい》はともあれ、レオナルドが若い頃、生きた爬虫類《はちゅうるい》の各部を糊付《のりづ》けして奇怪な怪物をこしらえたとの逸話をヴァザーリが伝えています。

さて、美術史という学問をつくった学者のひとりベレンソンは、〈ブノワの聖母〉のマリアについて「禿《は》げ上がった額と腫れぼったい頬、歯抜けた笑みとかすんだ眼、皺《しわ》だらけの首をした若い女性」とコテンパンに貶《けな》しています。無理もありません。たしかにこのマリアの容貌は、伝統的な「優美なる聖母」からはほど遠いのです。

しかし本作品の重要性は、まさにこの「醜さ」にあります。なぜなら、それまでの優美なるマリア像は完全なる理想像であり、女性たちの現実的な姿に基づいてはいません。とくに中世においては、聖なる存在たる聖母を、実在の人物を使って描くなど不遜極まりない行為にほかならなかったことは強調しておきます。

結局、レオナルドはこれら二点の聖母子像を描くにあたり、それぞれの注文主の妻子を工房におよび、同じ部屋でスケッチをおこなったのでしょう。教会祭壇画の聖母子像ならいざしらず、子息の誕生を祝って描かれることの多い個人邸宅用の聖母子像であれば、注文主も自分の妻と我が子をモデルに描いてほしいと思っても不思議はありません。そしてその場で、（羊は都市部にはいないので）身近にいてつかまえやすい猫を抱かせてポーズをとらせたのです。だからこそこれら二点の聖母子像には、ごく普通の母子の親しみが前面に出ているのです。申し訳程度にニムブス（頭上の光輪）をつけた以外は、なんと母性あふれる優しい笑顔なのでしょう。

フィリッポ・リッピの家族モデルによる聖母子像（ウフィツィ美術館）などのごく少数の先行例を除いては、一般市民層に属する実在の親子を聖母子像のモデルとしたことが確実な作品はそれまで存在しません。この点において、これら二点の聖母子像は、西洋の女性肖像・家族肖像の歴史における重要性を有しています。まさにベレンソンを戸惑わせた本作品の「醜さ」こそ、実際の注文主の妻子をモデルとしたことで生まれた、自然な写実性という新たな魅力なのです。ここにも、レオナルドが「最初の近代人」と呼ばれる理由の一端を見ることができます。

未完癖と挫折

いくつかの小型作品を手掛けた後、レオナルドは二六歳の時にフィレンツェ政府から注文を受けています。政庁舎にある礼拝堂のための祭壇画で、三か月後には手付金として、代金の一部である二五フィオリーニが前払いされています。破格の額とまでは言えませんが、この額だけでも、工房で若い弟子に支払われる標準的な給与のほぼ一年分に相当します。

しかし、この契約は結局履行されずにおわります。彼の前にはポッライウォーロ、後にはギルランダーイオ（ミケランジェロの師匠です）に注文されていますが、いずれも制作には至っていないので、なにかしら実行しにくい制約でもあった可能性はあるでしょう。それにしても、レオナルドの前後の二人はすでに大家です。そのような話がまだ無名のレオナルドのもとに来た過程には、政府関係の仕事をしていた父セル・ピエロの助力があったかもしれません。いずれにせよ、この作品は、「他人が完成できなかった作品を次から次へと完成させる画家」であるフィリッピーノ・リッピ（フィリッポ・リッピの息子で、ボッティチェッリの弟子）が後に制作して納品しています。

同じ一四七八年の四月には、フィレンツェで物騒な事件がおきます。大聖堂でのミサの機会を狙って、メディチ家の当主ロレンツォ・イル・マニフィコと弟のジュリアーノの暗殺をねらったクーデターです。ロレンツォは怪我を負いつつも間一髪助かりましたが、美男で女性たちのアイドル的存在だった弟の方は凶刃《きょうじん》に斃《たお》れてしまいました。結局、庶民はパッツィ家率いるクーデター一派の扇動にのらず、メディチ家打倒は不成功に終わります。パッツィ家と首謀者たちは捕えられ、またある者は国外へ逃亡しますが、しかし各国に支店網を持つメディチ家のこと、事件の翌年、最後の一人が遠くイスタンブールで捕らえられてフィレンツェに連行され、即座に公開絞首刑に処されました。

当時裁判所兼警察署で、今は国立彫刻美術館となっているバルジェッロ宮の窓からぶらさげられた犯人バロンチェッリのあわれな姿を、レオナルドがスケッチしています（図21）。これは単なる好奇心や観察心から描いたわけではありません。当時こうした事件があれば、政敵への威嚇のためにも「見せしめ絵」というものがデカデカと描かれるのが常で、画家に

図21　レオナルド・ダ・ヴィンチ、絞首刑にあったベルナルド・ディ・バンディーノ・バロンチェッリのスケッチ、1479年、バイヨンヌ、ボナ美術館

は重要な仕事のひとつでした。

レオナルドも明らかにその役目を狙っていたのでしょう。スケッチのそばに、「絹糸で編まれたベレー帽、黒のサテン生地による胴衣」などと、死刑囚の服の色まで詳細に書きとめています。同門のボッティチェッリが描いていたパッツィ家の処刑風景がすでにあったのですが、約一年後のバロンチェッリの処刑後に、その部分だけは描き直しになるだろうと見込んでいたに違いありません。ですが、結局レオナルドがバロンチェッリの見せしめ絵を描くことはありませんでした。

レオナルドのもとには、二九歳の年にも大きな注文が来ます。サン・ドナート修道院のための大祭壇画で、一辺が二・五メートルもある、ほぼ正方形の大作〈東方三博士の礼拝〉です（口絵5）。これもまた、セル・ピエロが顧問を務めていたサン・ドナート修道院からの注文だったので、ほぼ確実に父の助力による注文です。しかしこの作品が、色を置くことなく未完成に終わった主たる原因は、その妙な契約内容にあります。納品期限は二年。レオナルドには現金ではなく土地が与えられ、それを自分で売却して現金化するか、もしくは三年後に修道院が三〇〇フィオリーニで買い取るというもの。しかしレオナルドには、ある娘の結婚持参金として一五〇フィオリーニを支払えとの条件が付けられていました。顔料などの制作にかかるコストもすべてレオナルドもちです（彼の純粋な儲《もう》けは一〇〇フィオリーニほど）。土地を売るのは簡単ではないし、売れなかったとして、修道院が買い取ってくれる三年後まで、どうやって暮らしていけばよいのでしょう。案の定、レオナルドはたちまち日々の回転資金に困り、顔料の原料を買うための前借りを頼んだり、小麦やワインなど食材まで届けてもらっています。そうこうしているうちにレオナルドはミラノに移住することになるので、結局この大作は彩色されずにおわります。

ほぼ同時期に手掛けられた〈聖ヒエロニムス〉（口絵6）も、同様に彩色直前で放置されています。レオナルドの時代のいかなる史料にも、この作品に関する情報は残されていませんが、誰もこの作品の作者が彼であるかどうかを疑う人はいません。それほどにこの作品は、レオナルド的特徴をすべて備えています。来歴も謎に満ちていて、もともとは教皇庁のヴァチカン宮にあったようですが、一時期高名な女流画家アンゲリカ・カウフマンの所有になったと伝えられています。しかしそれ以降行方がわからなくなり、かのナポレオンの叔父でもあるジョゼフ・フェッシュ枢機卿《すうききょう》がローマの裏道を散歩中に、ある古物商の店先で、棚に貼り付けられたこの作品を偶然発見します。しかし頭の部分が四角く切り取られて穴があいています。彼は根気良く探して周り、数か月後に今度は靴屋の椅子に貼り付けられた聖人の頭部を発見します。こうしてこの作品は奇跡的に蘇《よみがえ》りましたが、今でも頭部のまわりには四角く切断されていた跡があります。かように作品の保存状態は悪いのですが、しかし誘惑に負けないよう自らの胸を石で叩《たた》く老人の筋張った体の、詳細で写実的な描写は実に見事です。

それにしても、レオナルドのこうした未完成癖はいったいどうしてなのでしょう。後述するように、戦争などのさまざまな外的要因が彼の制作を中断させ、さらに後にはレオナルドは絵画への情熱を失うようになるのですが、すでに若い頃から彼のこの傾向は明らかです。あまりにも繊細で高い密度で制作するために、途中で息切れしてしまうのでしょうか。また後述するように、レオナルドは晩年、手にしびれや麻痺《まひ》をかかえていたとの証言もあります。

いずれにせよ、レオナルドが未完の原因となるなんらかの気質を持っていたことは明らかで、その遅筆ぶりとともに、当時の画家としては致命的な欠点と言えます。

実質的に仕上げた作品のあまりの少なさにより、工房内での序列はどうあれ、フィレンツェ時代の彼はフィレンツェとその周辺でのみ知られる存在でした。名家の娘である〈ジネヴラ・デ・ベンチ〉（口絵4）の肖像などを描いているので、フィレンツェ内部では彼は一定の地位を築いていたはずですが、半島規模で見ると世間的にはまだまだ無名な画家にすぎません。そのため、当時の一大文化事業であったヴァチカンのシスティーナ礼拝堂の装飾事業でも選に漏れています。ミケランジェロによる壁画がまだ描かれる前のシスティーナ礼拝堂に、教皇シクストゥス（イタリア語ではシスティーナ）四世が半島中から一線級の画家たちを選出し壁画を描かせたのです。ミケランジェロの師となるギルランダーイオやルカ・シニョレッリといった大画家が呼ばれ、ヴェロッキオ工房からもボッティチェッリとペルジーノ（後のラファエッロの師）が召喚されています。しかし、レオナルドはただ彼らをむなしく見送るだけです。失意のレオナルドは、そろそろ三〇歳になろうとしていました。

第三章　万能性の開花

人生五〇年の時代に、そのなかばを過ぎてレオナルドは賭けにでます。あらたな挑戦の場となったのはミラノ。そこはルドヴィコ・スフォルツァ、通称イル・モーロが支配していました。モーロとはムーア人（アフリカ人）のことで、生まれながらに浅黒い肌をしていた彼につけられた綽名《あだな》を、彼自身が気に入って長じても使っていました。実際には、暗殺されて亡くなっていた兄の遺児が正式なミラノ公の地位にはあったのですが、まだ幼い甥《おい》の後見人としてイル・モーロが実権を握っていました。

イル・モーロは学識高い君主で、農業や手工業を振興し、彼の治世の間にミラノの人口は一二万を突破。北イタリアでながく一人勝ちの状態にあった強国ヴェネツィアを脅かす存在となりつつありました。

もうひとつ、レオナルドにとって魅力的な情報がありました。イル・モーロが、亡き父フランチェスコを称《たた》えるための騎馬像の建立を計画しているという噂《うわさ》です。半島中に聞こえていたこの噂を頼って、ミラノには複数の芸術家から制作の申し出がありました。そのなかには、フィレンツェのアントニオ・デル・ポッライウォーロも含まれていました（ニューヨークのロバート・レーマン・コレクションに、そのためのデッサンが残っています）。

例の『アノニモ・ガッディアーノ』が、レオナルドは「三〇歳で、ロレンツォ・イル・マニフィコによって、リラ（当時の弦楽器）をミラノ公へ届けるために、その楽器の演奏では随一の人として、アタランテ・ミリオロッティとともに遣わされた」と伝えています。同様の逸話をヴァザーリも伝えていて、「馬の頭蓋骨のかたちをした」リラだったと書いています。他にも多くの著述家たちがレオナルドの音楽の才について触れています。手稿にも楽器の類《たぐい》を多く描き、言葉遊びを兼ねた短い楽譜も残されているほど、レオナルドと音楽の結びつきは強いものです。ちなみに彼は音楽上の弟子も残していて、それがこの年代記に書かれているミリオロッティで、後にスターとなり、レオナルド演出による劇で主演をつとめるなどして活躍します。

図22　ミラノ大聖堂。レオナルドが部分改修にたずさわった建物であり、また右奥にみえる宮殿（コルテ・ヴェッキア）前広場は、レオナルドがスフォルツァ騎馬像の鋳造システムを組み上げた場所

そしてヴァザーリの逸話に信憑性《しんぴょうせい》を与えるような、

一風変わったリラのスケッチがレオナルドの手稿に描かれています（図23）。アノニモの記述にあるリラはよく竪琴《たてごと》と訳されるのですが、ルネサンス当時はリラ・ダ・ブラッチョという楽器で、現在のヴィオラに更に二本ほど開放弦を足した感じのものです（この二本は決まった低音しか出ません）。レオナルドのスケッチにあるドラゴンの頭の形をした妙な楽器も、この変形と思われます。ブラッチョとは腕のことで、文字通りこれを手で抱えて演奏しながら、詩に即興で節をつけて歌うのが当時の歌手の演奏スタイルでした。

図23　レオナルド・ダ・ヴィンチ、ドラゴン型のリラ・ダ・ブラッチョのスケッチ、『パリ手稿B補遺、アシュバーナム手稿』、f. Cr.

こうした即興詩人たちは町の人気者で、決まった広場に定期的に集まっては、一人ずつ順繰りに歌うといった催しが市民の娯楽のひとつとなっていました。

実際に、レオナルドがミラノに行くきっかけとなったのは、イル・マニフィコが外交使節としてレオナルドら音楽家を派遣したことにあるのかもしれません。当時その二都市はそれぞれ独立国なので移動するにも許可証が必要で、おいそれと通える場所ではありません。そこで貴重な機会を活かして、後述するような自薦状で自らを軍事技師としてミラノに売り込んだのではないでしょうか。

自薦状

レオナルドがミラノ公に自らを売り込むためにしたためた、自薦状の下書きが残っています（図24）。鏡文字ではないことからもわかるように、レオナルド本人のものではなく、口述筆記か代書人による写しです。レオナルドはここで、自らの技能を十項目挙げてアピールしています。最初の九項目を短くまとめると、以下のようになります。

図24　レオナルド・ダ・ヴィンチによる自薦状、『アトランティコ手稿』、f. 1082r.

一、とても軽量で丈夫で、持ち運びできる橋のアイデアと、敵の橋の破壊方法。
二、攻城戦で役に立つ数々の攻撃用・防御用兵器。
三、砲撃が不可能な城や砦《とりで》を攻略する方法。
四、散弾を放つ、持ち運び容易な臼砲。
九、海戦時に役立つ兵器と、砲撃戦に耐えうる艦隊の建造法。

五、敵に気づかれることなく抜け道を掘る方法。
六、装甲に覆われた戦車。
七、これまでにない火器、大砲の類。
八、臼砲の使用が不可能なケースで役立つ投石器など、状況に応じた兵器の類。
最初五番として書かれた項目の番号を、九番に改めたりしているところは、いかにも清書前の下書きならではです。それにしても、彼にはそれまで軍事にたずさわった経験など無いはずなのですが、口調はまるで軍事の専門家のそれです。しかしミラノのように、戦乱期に拡大政策をとる国であれば、あらたに人を一人雇うなら、ただの芸術家ではなく富国強兵に役立つ人物を採るはず。レオナルドはおそらくそう読んだはずです。自薦状には実際に示すことができますと豪語していることから、設計図や見取り図のように見せながら説明できるだけの材料があったはずで、第一フィレンツェ時代にすでに軍事面の勉強を始めていたことがわかります。彼の目論見《もくろみ》はまんまと当たり、首尾良く技師として公国の一員となることに成功します。

軍事の専門家として雇われたからには、レオナルドはそのことを証明しなければなりません。そのために、彼は武器の開発や改良のためのデッサンを数多く残しています。本格的に手稿が書かれ始めたのもこの頃ですが、そこからは、レオナルドの慌てぶりがうかがえます。最初は弓矢の連射化に取り組みますが、それら最初期の兵器アイデアの数々はしかし、装飾的にすぎて実戦の役には立たないか、コストがかかりすぎて実現性の低いものばかりです。

　例えばハムスターの回し車を思わせる輪のスケッチ（図25）では、踏んで回している複数の人の姿から、その装置の巨大さが想像できます。軸の中心には一人の射手《しゃしゅ》が座っていて、回ってくる弓から矢を放ちます。踏み手の者たちの背後には敵の攻撃から身を守るための板が斜めに取り付けられています。これほどの巨大な装置で、移動もままならないにもかかわらず、射出《しゃしゅつ》できる矢は時おり一本ずつだけであり（しかも狙いも変えられず）効率の悪さだけが目立ちます。

図25　レオナルド・ダ・ヴィンチ、回転式連射弓、『アトランティコ手稿』、f. 1070r.

　しかしレオナルドは、彼の特徴である執拗《しつよう》さと謙虚さ、そして底知れぬ発想力を発揮し始めます。彼は考え、実験し、失敗を繰り返しながら徐々に専門性を高めていきます。そして専門書を読もうと努力し、自分より詳しい人がいれば訊《き》きにいこうとするのです。

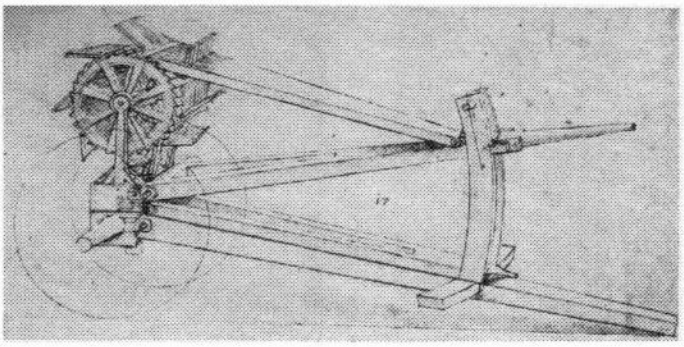

図26　レオナルド・ダ・ヴィンチ、連射砲、『アトランティコ手稿』、f. 16r.

当時、すでに初歩的な構造の砲や単発式の銃は使用されていました。彼は単独での銃の破壊力には注目していたので、横に並べて何発も一斉に発射し、さらにドラムを回転して別の装填済みの銃の列があらわれるような、後世のガトリング砲にも繋《つな》がるような兵器を考案しています（図26）。同時に、レオナルドの作図技術も向上しており、技術デザインに初めて「美しさ」を持ち込んだのもレオナルドであることがわかります。

かと思えば大砲のヴァリエーションとして、巨大な砲弾が細かく分裂し、かつそれら散弾には火薬が詰めてあって着弾後にすべての弾が破裂するような散榴弾臼砲《さんりゅうだんきゅうほう》も考えています。アメリカ南北戦争の時にようやく実用化されたアイデアなので、ルネサンス当時では実現を望むべくもありません。

そうしているうちに、軍事的な工夫も実用性を徐々に獲得していきます。たとえば、行軍中に急に渡河する必要に迫られた時、近くの木を切り倒す以外に入手できる資材が（綱や釘《くぎ》さえ）無かったとして、彼が考案したような、切り倒した丸太を組み合わせるだけの構造以上に、シンプルで実用性の高い橋は存在しなかったでしょう（図27）。

レオナルドの先生たち

彼が学んだ先人たちのなかでも、シエナ生まれのフランチェスコ・ディ・ジョルジョ・マルティーニはとりわけ大きな存在です。マルティーニも軍事技師として諸国で活躍しており、また同時に建築家や画家、彫刻家であり、著述家でもありました。その点で、おそらく歴史上最もレオナルドに似た万能人と言えます。レオナルドがミラノ宮廷に来た時、ウルビーノやナポリで活躍した一三歳年長のフランチェスコはすでに有名人でした。

彼らは意気投合し、パヴィアに残っていた古代騎馬像〈レジソーレ〉を連れだって見学に行ったり、レオナルドはフランチェスコの手稿をゆずりうけて学んでもいます。ミラノのアンブロジアーナ図書館に残る『建築論』こそは、レオナルドが所有していたことが明らかな唯一の書であり、余白にレオナルドの鏡文字によるメモ書きがなされています(図28)。図で示しては解説文を加えていく記述スタイルも、この先人に多くを負っていることがわかります。レオナルドは彼から工学の多くを学んでおり、かつてはレオナルドの発明とされていた有名な自走車なども、その構造のほ

図27　レオナルド・ダ・ヴィンチ、仮設橋、『マドリッド手稿 I』、f. 46r.

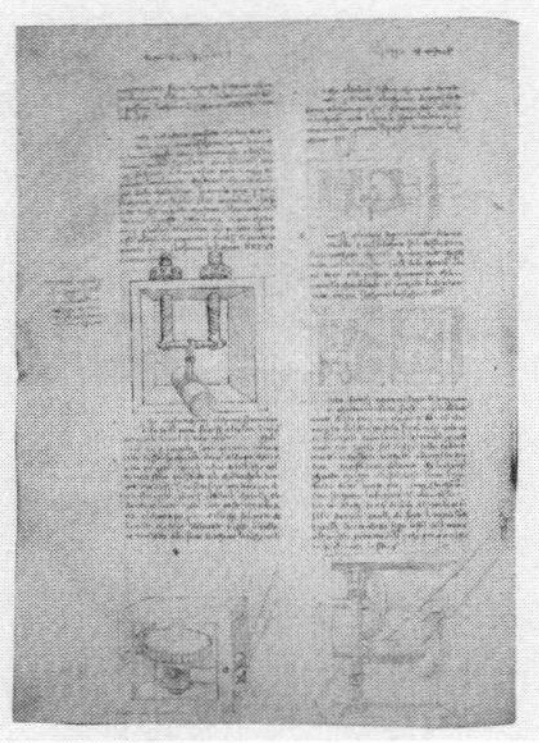

図28　フランチェスコ・ディ・ジョルジョ・マルティーニ、『建築論』（旧レオナルド蔵書）、ミラノ、アンブロジアーナ図書館、f. 44v.

とんどをフランチェスコに負っていたことが現在ではわかっています。

レオナルドは建築分野においてもミラノで活動しています。幸運なことに当時ミラノには、盛期ルネサンスを代表する建築家ドナート・ブラマンテも滞在しており、それまで建築についてほとんど学ぶ機会がなかったレオナルドにとって、得難い師となったはずです。その成果はほどなくあらわれ、レオナルドがミラノに移住してから五年ほど経《た》った一四八七年、ミラノ大聖堂交差部天井の改修案のコンペティションが開かれます。手を挙げた五人の中から、審査員のブラマンテが選んだのがレオナルドで、以降、このタスクに対するレオナルドへの三度の支払い記録があります。

軍事技師に求められたジャンルは広く、レオナルドは都市計画に関する考察も残しています。当時のヨーロッパではペスト（黒死病）が猛威を奮っていたのですが、街には下水道もなく、不衛生な中で人々が暮らしていたことに問題がありました。そこで彼はミラノの都市機能の改善をはかるため、まず都市を区分化して住宅を高層化し、陽当たりと風通しを確保しようと考えます（図29）。そして道路や水路も地下階と地上階にわける多層化を導入し、一般人や荷物の運搬などは下層階を用い、高層階は上流階級民専用とする都市計画案です。

こうした理想都市には運河がはり巡らされ、地下水路も運搬などに利用されます。相当なコストがかかるためほとんど実現には至らなかったと思われますが、彼の計画は日照権なども考慮した近代的な思考をふんだんに含んでいるため、そのアイデアがその後のミラノや近郊のヴィジェーヴァノの運河計画などに活かされたとしても不思議ではありません。

図29　レオナルド・ダ・ヴィンチ、運河計画、『パリ手稿B』、f. 37v.

彼は運河をひくためのクレーンなどの機械スケッチを多く残しています。彼以前にも運河掘削には大型機械が用いられていたのですが、レオナルドは掘削で出てくる大量の土砂をすぐに運搬できるような独自のシステムを考え出します。これもコストがかかりそうですが、実際に、フィレンツェ対ピサ戦のためのアルノ川の工事計画に着手したり、あるいは一五一四年にローマ南部のポンティーノ湿地帯の干拓工事に従事したりしています。くわえて、出た土砂を運

図30　レオナルド・ダ・ヴィンチに帰属、大墳墓のスケッチ、パリ、ルーヴル美術館

搬する人夫の給与まで計算したメモや、川底の土砂をすくい上げる浚渫船《しゅんせつせん》のスケッチもあり、実行されることを前提として練られていたことがうかがえます。
彼の、非現実的なほどのスケールの大きさは建築分野でもあらわれており、円形を基調とするピラミッド的な大墓稜《だいぼりょう》の構想が残されています（図30）。周囲が丸いピラミッドとでも言えば良いのか、この大胆かつ斬新なデザインと、繊細で丁寧な線描はレオナルド的特徴をよく備えています。墳墓のサイズは破格に大きく、もし実現していたなら、古代文明が遺した巨大建築に匹敵していたはずです。
この点で、すでに世を去ってはいましたが、イル・モーロの父フランチェスコ・スフォルツァの時代にミラノで活躍したフィラレーテの存在は注目に値します。フィラレーテ、本名アントニオ・ディ・ピエトロ・アヴェルリーノはミラノのオスペダーレ・マッジョーレの設計などで知られ、彼の『建築の書』は写本となってかなり流布《るふ》していました。フィラレーテの建築理念はしかし一風変わっており、特筆すべきはそのスケールの壮大さと幻想性にあります。名高い理想都市〈スフォルツィンダ〉は八つの頂点を持つ星形をしており、幾何学的なデザインとそのユートピア的な発想の飛躍において、レオナルドの滋養となった可能性が考えられます。

パチョーリとの対話

一四九六年、〈最後の晩餐《ばんさん》〉（口絵11）を制作中だったレオナルドは、ミラノの宮廷にやってきた数学者ルカ・パチョーリと出会います。彼はフランチェスコ・ディ・ジョルジョ・マルティーニ、師のヴェロッキオとともに、レオナルドに最も大きな影響を与えた人物のひとりです。パチョーリはフランチェスコ会の修道士でありながら、「複式簿記の父」として知られ、同郷の画家兼数学者ピエロ・デッラ・フランチェスカから薫陶を受けていたと思われます。

パチョーリもまたルネサンス型万能人の一人として、簿記計算以外の分野にも関心を広げ、主著『スンマ（算術・幾何学・比と比例の全書）』は、書名が示す通り、当時の絵画の先端技術だった遠近法を構成する幾何学と比例を扱っています。日本人もよく知っている紀元前三世紀の大学者ユークリッド（エウクレイデス）の研究者でもあり、その後各地の大学で教鞭《きょうべん》

図31　レオナルド工房、レオナルド・ダ・ヴィンチの原画に基づく、ルカ・パチョーリ著『神聖比例論』のための挿図、1498年、ミラノ、アンブロジアーナ図書館

を執りつつ、パチョーリ校訂によって出版されたラテン語版ユークリッド『原論』は大成功をおさめます。

　レオナルドは、パチョーリと会う前にすでに「ルカ師の算術書に一一九ソルド《（ママ）》」と、パチョーリの『スンマ』の購入メモを残しています。さらに、後に作成した蔵書目録には、『スンマ』と並んでユークリッドの『原論』の名もみることができ、レオナルドがいかにパチョーリの忠実な学徒であったかがわかります。

　彼らは意気投合し、一四九八年二月八日にミラノのスフォルツァ城で開かれた討論会でともに論陣をはっています。このことは、パチョーリの『神聖比例論』の、イル・モーロに宛てた献辞のなかで記されています。そこには、パチョーリが「称賛すべき学問上の対決」と呼ぶ討論会に、「私のフィレンツェの同朋《どうほう》であるレオナルド・ダ・ヴェ《（ママ）》ンチ」と臨む、と宣言されています。会場には宮廷の人々だけでなく、聖職者や学者たちが招かれ、芸術ははたして学問と呼びうるのかについて議論されました。

レオナルドは芸術を、比例に基づく数学的なものと主張しました。それだけ、当時は数学が神聖なるものとみなされていた証左でもあります。彼は正多面体を神聖比例（黄金比）で論じたパチョーリの『神聖比例論』のために、挿図の原画も描いています（図31）。そこでは多面体は面ではなく骨組みのみで描かれ、容易に立体的把握ができるよう工夫されています。同種の幾何学形態は先述のピエロ・デッラ・フランチェスカや、初期ルネサンスの画家ウッチェロ、さらにはミケランジェロらが扱っており、ルネサンス期の一部の画家や建築家にとって、比率や幾何学が芸術に一種の神聖なる価値を与えると信じられていたことを教えてくれます。

演出家としての成功

ミラノの君主イル・モーロはレオナルドに対して、実に多くの種類の仕事を依頼しています。このことが、レオナルドがもともと持っていた好奇心の広さと万能性を表に引っ張り出したと言って良いでしょう。そのなかでも、レオナルドの名声を最初に高める結果となったのは、意外なことに一連の結婚式の祝祭演出です。軍事技師としての仕事が主ではあるのですが、宮廷付き技師には、平時にはそのような仕事もあるわけです。

ミラノには、レオナルドが勤めていたスフォルツァ城（カステル・スフォルツェスコ）が今も残っています（図32）。ほぼ正方形のプランをしていて、イタリアの城郭のなかでも有数の広さをもつ中庭があります。居住・執務空間は正方形の北半分にあり、さらに北東の一角に城の中枢機能が固まっていました。その一角、小中庭に面した「サーラ・ヴェルデ（緑の間）」と呼ばれる細長い大広間で、一四九〇年一月一三日、レオナルド演出による「イル・パラディーゾ（天国の祝祭）」が上演されました。

図32　ミラノのスフォルツァ城（カステル・スフォルツェスコ）

これはナポリ王の娘イザベッラとミラノ公との祝婚行事としておこなわれたものです。ミラノ公と言ってもイル・モーロのことではありません。というのも、実権は完全にイル・モーロが握っていましたが、暗殺された先代のミラノ公、つまりイル・モーロの兄の遺児ジャンガレアッツォ・マリーア・スフォルツァが、形式的には正式なミラノ公の地位にあったからです。病弱で二五歳の若さで死ぬことになるこの甥《おい》っ子の結婚を祝うためというよりも、実質的な君主である自らの威厳を示すためにも、イル・モーロは派手な演出を求めました。

台本を宮廷詩人のベルナルド・ベッリンチョーニが、そして舞台装置と総合演出を宮廷技師レオナルドが担当したこの劇のために、広間の片側に客席の雛段《ひなだん》が、そして反対側に舞台が設けられました。夜一〇時から前座としての舞踊がおこなわれ、劇自体は深夜の零時半に開始されました。残念ながらレオナルド自身のスケッチなどは残っていないのですが、当時の証言などによると、舞台中央には巨大な卵を半分に割ったような背景があり、そのニッチの内側は金で覆われ、蠟燭《ろうそく》の灯りをまばゆく反射していたそうです。そしておそらく階段状にせりあがった舞台が卵の手前にあって、七つの惑星に扮《ふん》した役者が各自の段を歩いて回り（中央の最も高い段にいるのはユピテル／ゼウス）、そこから一人ずつ舞台正面に降りてきては、新婦を称《たた》える詩を詠《うた》っていきます。この公演は好評を博し、続く結婚祝祭の機会をことごとくレオナルドにもたらす結果となりました。

翌年のはじめにはイル・モーロ本人が、北イタリアの中堅国フェッラーラ公の次女ベアトリーチェ・デステ（後述するイザベッラ・デステの妹）と結婚します。続いてほぼ同時期に、今度はイル・モーロの姪《めい》アンナ（やはり兄の遺児）が、フェッラーラの次期君主アルフォンソ（ベアトリーチェの弟）と結婚します。いずれも、両国の結びつきを緊密にするための政

図33　レオナルド・ダ・ヴィンチ、〈槍を持つ少年〉、ウィンザー城、王立図書館、RL 12575.

略結婚にほかなりません。国家同士の結婚のようなものですから、いきおい祝婚行事もおおがかりなものになります。

また、同年の一月二六日に、軍隊長ガレアッツォ・ダ・サンセヴェリーノの館でジオストラ（馬上槍《やり》試合）が開かれています。ガレアッツォはイル・モーロの非正嫡の娘ビアンカを妻としていることからも明らかなように、イル・モーロの懐刀のような存在でした。レオナルドはこの催しのために同館で準備していることなどを自らのノートに書いています。興味深いことにそこには、役者の若者たちに「舞台用の農夫の衣装をためし着」させたと書かれています。そして彼のノートには、やや後年のものと思われますが、槍を手に持つ少年か青年の姿を描いたスケッチもあります（図33）。その衣装は非常に派手で、とても普段着ていたものには見えず、明らかに舞台用にデザインされたものです。つまりこれらのことからわかるのは、レオナルドの舞台演出には衣装デザインも含まれていたという点です。彼はファッション・デザイナーでもあったわけです。

やや横道にそれますが、同館でのリハーサル中に、衣装合わせのために若者たちが脱いでいた服から、サライがお金を盗んだともレオナルドは記しています。サライについては後述しますが、ジオストラの前年に一〇歳でレオナルドの工房に入った少年です。やたらと手癖が悪く下品で大食いなのですが、美少年だったようでレオナルドに可愛がられ、レオナルドの最晩年までずっと一緒にいる人物です。そのため、レオナルドの絵やスケッチにしばしば登場する巻き毛の若者がサライとみられており、ここに掲載した〈槍を持つ少年〉のモデルも彼ではないかと考えられています。

続いて一四九六年には、宮廷詩人バルダッサーレ・タッコーネの台本による劇「ダナエ」の演出を手掛けます。舞台にはせり上がりの仕掛けがなされており、役者が地下と舞台とを昇降できるようになっています。同劇でも、先述した「イル・パラディーゾ」でも、レオナルドの舞台には機械仕掛けが施されている点に特徴があることがおわかりだと思います。フィレンツェでの修業時代に参加した、大聖堂クーポラへの青銅球設置工事などによって、レオナルドがそうした工学上の経験を多く積んだおかげなのでしょう。

その大クーポラやクレーンを設計したのは、初期ルネサンスを代表する建築家フィリッポ・ブルネッレスキだったのですが、彼はフィレンツェのサン・フェリーチェ・イン・ピアッツァ教会で、受胎告知の記念日である三月二五日に、毎年機械仕掛けの宗教劇をおこなっていたこともわかっています。ブルネッレスキ本人はレオナルドが生まれる少し前に亡くなっていましたが、この劇はその後も続けられていたようで、少年レオナルドが見て記憶していた可能性があります。

レオナルドがミラノ宮廷で演出した舞台は大評判をよび、国境をまたいでの名声を彼にもたらしますが、すべてをひとりで考え出したわけではないことがおわかりだと思います。すでに見たように、絵画や彫刻、軍事や数学などの分野でそれぞれ優れた先達から学んだのと同様に、レオナルドには舞台演出などの分野でもそれぞれ学ぶべき師がいたといえるでしょう。

レオナルドは他にも「オルフェオ」劇の舞台演出も手掛けています(図34)。当時の高名な詩人アンジェロ・ポリツィアーノによる詩をもとに、かつてマントヴァ宮廷で舞台化されたもので、レオナルドはおそらく一四九〇年に、独自の演出によってミラノ宮廷で上演しています。これも機械仕掛けの大掛かりなもので、山がパカッとふたつに割れて中から役者が登場するか、装置全体が回転して反対側が現れるような仕掛けだったようです。翌一四九一年にこの劇がマントヴァで再演された時には、先述のミリオロッティが主演をつとめています。そしてレオナルドが晩年にフランス宮廷に入ってからも、この劇は乞われて再演されています。文化的先進地域のイタリアから来たレオナルドによる舞台が、それまで大掛かりな機械仕掛けの舞台装置など見たこともないフランス宮廷のひとびとを、大いに驚かせただろうことが容易に想像されます。

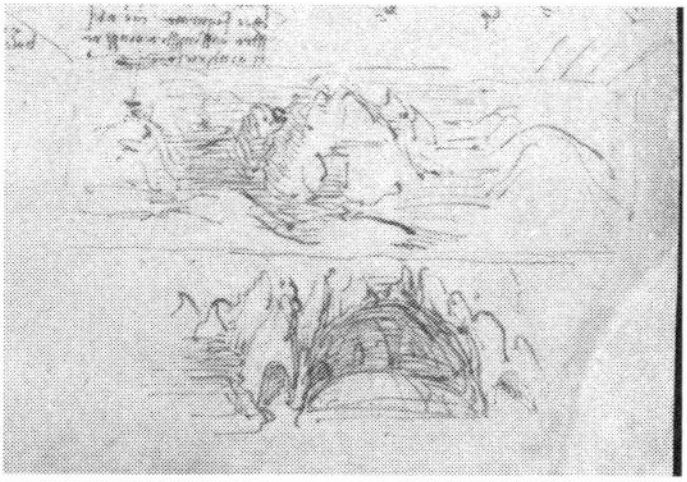

図34　レオナルド・ダ・ヴィンチ、「オルフェオ」劇の舞台装置デザイン、1506年頃か、『アランデル手稿』、f. 224r.

ここに掲載したスケッチは、そのフランス宮廷での再演時のためのものとも考えられています。あらためてスケッチしたのなら、レオナルドはかつて自らが手掛けた装置に満足せず、さらに改良しようとしていたのでしょう。残念ながら音楽や演劇は一過性の芸術なので今日までレオナルドによる作品自体は残っていませんが、あまり知られていないレオナルドの側面がおわかりいただけたと思います。そして彼が同分野で活躍できたのは、ひとえに、政略結婚によって国家間が結びついていた当時のルネサンス社会の特質によるものであることもまた、ご理解いただけたことと思います。

画家としての活動

宮廷付き技師としてさまざまな仕事をこなしていくのと並行して、もちろん芸術家としての注文もこなしています。フィレンツェ時代と異なるのは、ミラノ公付きのため、おのずと注文は公とその周辺からのものが中心になるという点です。ミラノ時代はレオナルドの芸術作品のほとんどが生み出された幸福な時期でしたが、〈白貂《しろてん》を抱く貴婦人〉（口絵9）や〈ラ・ベル・フェロニエール〉（口絵10）などの肖像画はミラノ公の愛人たちであり、〈最後の晩餐《ばんさん》〉（口絵11）は公の菩提寺《ぼだいじ》に描かれたもので、また〈スフォルツァ騎馬像〉は公の父の記念碑、そして〈アッセの間〉は公の居城の一室と、たしかにミラノ公関係の仕事がその多くを占めています。

そのなかで、〈岩窟の聖母〉はミラノの無原罪懐胎同信会という宗教団体からの注文で、サン・フランチェスコ・ア・グランデ教会附属礼拝堂に飾る祭壇画として依頼されたものです（口絵7）。この時に結ばれた契約書が現在も残っており、この文書がレオナルドのミラノ移住の最初の記録となっています（図35）。

公証人が作成したこの契約書には、一四八三年四月二五日の日付があります。同信会側からの制作依頼をうけたのは、レオナルドと、ミラノの宮廷芸術家デ・プレディス兄弟の計三人です。それによれば、祭壇画は中央パネルと左右の翼パネルからなり、中央をレオナルドが、翼部をアンブロージョ・デ・プレディス、そしてエヴァンジェリスタ・デ・プレディスが衝立《ついたて》の金箔《きんぱく》装飾などの工芸部門を担当することになっていました。受け取る報酬額は三人均等なのですが、現地ですでに宮廷画家の地位にあったアンブロージョを押しのけて、レオナルドだけが「マエストロ（親方）」の扱いをうけているのには、それだけ文化の中心地フィレンツェのブランド力が強く、また逆にミラノに当時それほど有力な画家がいなかったという理由があります。

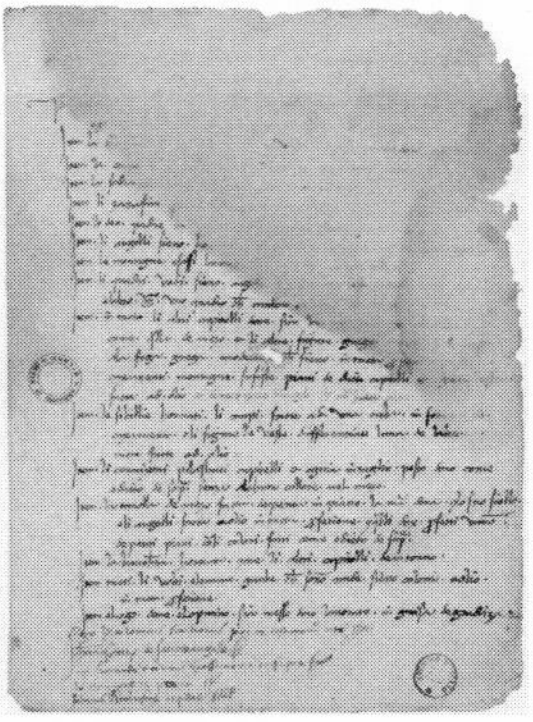
図35　〈岩窟の聖母〉の契約書、1483年4月25日、ミラノ、国立公文書館

　現在、パリのルーヴル美術館とロンドンのナショナル・ギャラリーに、二点の〈岩窟の聖母〉があります。これらに関して、どちらが先に描かれた、誰が描いたといった議論が昔からなされてきました。いまだ完全な解決を見ていない状況にはありますが、ここでその検証を始めるとそれだけでゆうに一冊の本になってしま

うので、現時点で最も妥当だと思われるシナリオをもとにお話しします。

いくつかの違いはあれど、両作品とも、岩窟の暗い内部を舞台としていること、聖母マリアがいて、幼児のイエスと洗礼者ヨハネ、そして大天使ウリエルがいる点は共通しています。

しかし契約書を見ると、もともとはそれらとまったく異なる絵を想定してなされた注文だったことがわかります。当時の注文主は、画題や構図、描くべきモティーフや色、使う顔料の種類までことこまかに指定します。画家や工芸家は、それにしたがって制作するだけで個人的な解釈を積極的に加えることのない、純粋な職人だと思われていたせいです。その関係性が大きく変化するのは、レオナルドやミケランジェロのように、パトロンたちの意向に時に抗《あらが》うような存在が現れてからのことです。

契約書には、イエスや聖母のマントの色はこれ、セラフィム（熾天使《してんし》）を飛ばせ、父なる神や預言者を配せよといった指定がなされています。画面全体が金箔で覆われ、材料費の大部分を占めています。面白いのは、これらの金に混ぜ物を加えて画家たちが差額をくすねることのないように、他の業者を通さず、同信会側が指定する業者から直接に、一定量あたり三リラ一〇ソルディという決められた価格で買わなければならないとの指示があることです。おまけに工房内ではなく修道院で金メッキの作業をすることまで定められていたので、それだけ実際にズルをする画家も多かったのでしょう。

長い法廷闘争

作品と契約書との大きな隔たりをみるかぎり、レオナルドにはパトロンに素直に従うつもりなどまったく無かったことが明らかです。父なる神や預言者、セラフィムはおろか、金地の背景や、通常は聖なる存在の頭部に描く光の輪（ニムブス）さえありません。ニムブスを描かないのは、見たことのないものは描かないという、レオナルド特有のリアリストの面の発露です。この信念は彼の制作に一貫して見られるもので、レオナルド芸術の近代性の柱となります。おそらくこうしたことが原因となって、画家と同信会側は長い裁判に突入します。

揉《も》めた原因がもうひとつあって、契約書では制作に対して二〇〇ドゥカーティ（＝八〇〇リラ）と、出来栄えに対するボーナスとして二五ドゥカーティ（＝一〇〇リラ）が支払われることになっていました。前者の支払いは契約書の翌年の末にはすべて払い終わっているので、第一フィレンツェ時代の〈東方三博士の礼拝〉などと異なり、ちゃんと納品されたことがわかります。そして契約書通り、レオナルドが中央パネルを担当したのでしょう。現在のパリ版（口絵7）とロンドン版（口絵8）を比較すると、明らかにパリ版の方がよりレオナルド様式の特徴を備えているので、諸説はあるものの、ここでは最初に描かれて納品されたのはパリ版だと考えましょう。後述するように、レオナルドは後年になればなるほど、自ら一枚の絵を独力で仕上げることをしなくなります。

さて、画家が不満を持っていたのはボーナスの額についてでした。それだけ出来に自信があったのでしょうし、使われた顔料も見込みより多くかかったのかもしれません。当時は用いられた材料費の多寡が作品の価値に直結していましたし、画家たちはそれらを自前で用意しなければならなかったからです。

作品が納品されて七年ほど経った頃、エヴァンジェリスタは直前に世を去っていたので、アンブロージョとレオナルドがボーナスを三倍の七五ドゥカーティ（＝三〇〇リラ）に増額してくれるよう嘆願書を出しています。さらにそこには、別の購入希望者が一〇〇ドゥカーティで買いたがっているとも書かれています。これを無理やり現在の通貨に直してみると、一ドゥカーティは金取引価格で約一万五〇〇〇円ですが、年収や物価比較からみると、およそ三万から五万円に相当します。つまり別の購入希望者は三〇〇万から五〇〇万円で買うと言ってきたわけです。

これは単なる駆け引きのためのはったりではなさそうです。というのも、ここで転売したとすれば、現在二点あることの謎が最も合理的に説明できるからです。まずこの「別の購入者」ですが、同信会が注文したものを、他の宗教団体や教会が横取りすることは考えにくいので、そのような強権を発動でき、かつそのような額のオファーを容易に出せるのは、イル・モーロの可能性が最も高いといえます。実際に、嘆願書の直後、一四九三年にはイル・モーロの姪ビアンカ・マリーアがドイツ（神聖ローマ）皇帝マクシミリアンと結婚しており、さらにアントニオ・ビッリという商人が書いた『覚書』に、イル・モーロのためにレオナルドが描いた祭壇画が、イル・モーロからドイツ皇帝に贈られたと記しています。ビッリの書自体は一五二七年頃に書かれたものですが、レオナルド生前当時のイタリアで起きた多くの出来事を、かなり正確に記録してくれています。さらに、もし姪の結婚記念にイル・モーロが〈岩窟の聖母〉をドイツ皇帝に贈ったとすれば、一四九三年か翌年頃のことであるはずで、このことを裏付けるかのように、その頃インスブルックにあるドイツ皇帝の宮廷に、アンブロージョ・デ・プレディスが滞在していたこともわかっています。納品に、制作者本人が同行するのはよくあることですから。

パリ版はその後、皇帝の孫娘がフランス王フランソワ一世に嫁いだ時に、贈り物か持参金の一部としてフランス王家に渡ったのでしょう。フランソワ一世は最晩年のレオナルドをフランスに招聘《しょうへい》した人物で、彼が宮廷を置いたフォンテーヌブロー宮殿にパリ版があることを、一六二五年に宮殿を訪れたポッツォという人物が記録しています。その後もこの作品は常にフランス王家とともにあり、ヴェルサイユ宮殿を経て、一八〇〇年頃からルーヴル宮殿に入り、そのまま今に至っています。

さて、イル・モーロに売れたのはよいものの、返金義務を発生させないためにも、またボーナスの額に関する裁判も継続中なので、画家たちはあわてて代替品を用意する必要に迫られます。これがロンドン版になります。パリ版で使った下絵をそのまま転用しながら、翌年にはアンブロージョ主体で制作された中央パネルが代わりに納品されたはずです。事実、後の一六一一年、ボッロメオ枢機卿《すうききょう》が画家ヴェスピーノに模写を描かせていますが、現在ミラノのアンブロジアーナ絵画館にあるこの模写を見ると、当時サン・フランチェスコ・ア・グランデ教会にあったのはパリ版ではなくロンドン版だったことがはっきりとわかります。

興味深いのは、やはりロンドンのナショナル・ギャラリーにある、この時に制作されたとみられる二枚の翼部パネルです。ただ、これら二枚の翼パネルは左右で大きく様式が異なり、リュートを奏でる右パネルの天使（図36）がアンブロージョの様式を示す一方、左パネルのリラ・ダ・ブラッチョを奏でる天使（図37）が見せる、その特徴的な様式は、レオナルドの

図37　レオナルド派（フランチェスコ・ナポレターノか）、〈リラ・ダ・ブラッチョを奏でる天使〉、1490年代か、ポプラの板に油彩、117.2×60.8 cm、ロンドン、ナショナル・ギャラリー

図36　アンブロージョ・デ・プレディス、〈リュートを奏でる天使〉、1490年代か、ポプラの板に油彩、118.6×61 cm、ロンドン、ナショナル・ギャラリー

弟子のひとりであるフランチェスコ・ナポレターノのものと思われます。彼らはその頃よく協働で作業していたようで、ロンドン版の完成年と考えられるまさに一四九四年に、イル・モーロがふたりに対してメダルの鋳造を依頼しています。ロンドン版の特徴のひとつは、レオナルドらしからぬ冷たく金属的な肌の描写なのですが、これはナポレターノの様式に近いと言えます。

しかし、その後も裁判の結審までには長い年数がかかります。一五〇三年にはアンブロージョが単独で嘆願書を出しています。その年にはすでにレオナルドはミラノにいないからです。同年には、すでに有名人になっていたレオナルドの要請をうけて、とうとうフランス王ルイ一二世までが、その頃すでにフランスの支配下にあるミラノの法務官に対して、早く結審するよう通達しています。

一五〇六年、再契約が成立。結局、ボーナス額は両者の中間をとった五〇ドゥカーティ（＝二〇〇リラ）で決着がつきます。しかしそこにはまた、作品に未完成な部分があること、そして二年以内にレオナルド本人が完成させることが明記されています。レオナルドはフィレンツェとミラノの間を行き来しながら、仕上げをしたのでしょう。ただ、ロンドン版にはヨハネの背後の植物や足もとなどに、明らかに未完成な部分がいまだに残っています。

そして二年後の夏にはアンブロージョが複製画を制作するために祭壇から一時的に外す許可を得ているので、つまりはすでにロンドン版が祭壇に設置されていたことが確かめられます。最終的にすべての支払いが完了したのは同一五〇八年の一〇月二三日。ミラノでの最初の契約から、なんと二五年もの歳月が経過していました。

ちなみにロンドン版はその後、一七八一年に同信会が解散して以降、その四年後からは常にイギリス国内で持ち主を転々と代えていき、一八八〇年に九〇〇〇ポンドで購入されてナショナル・ギャラリーに入りました。

姿を現した壁画

その後も、レオナルドはイル・モーロの愛人たちの肖像画を手掛けつつ、ついに大規模作品の制作機会を得ます。これが〈最後の晩餐〉で、同作品で彼はついに画家としての名声も獲得します。同作品については第五章で詳述します。

スフォルツァ城の内部装飾もレオナルドに課せられた仕事のひとつでした。一四九八年四月二三日にはレオナルドが城内の「アッセの間」にとりかかることを財務官バスカペが記録しています。そこは城内でも最も大きな広間で、塔の真下にあるので正方形をしており、レオナルドは九月までに装飾を終わらせると言っています。同じ財務官によってその三日前に書かれた書簡では、「アッセの間」のすぐ横にある小さな「黒の間」をレオナルドが手掛けていることが記されています。現在はこの小部屋の装飾は失われてしまいましたが、おそらくこれら二部屋の他にも、記録にこそ描かれていないものの、レオナルドの工房が手掛けてその後失われた室内装飾があったに違いありません。

図38　レオナルド・ダ・ヴィンチと工房、〈アッセの間〉天井装飾、1498年、漆喰の壁にテンペラ、ミラノ、スフォルツァ城（カステル・スフォルツェスコ）アッセの間

　レオナルドがアッセの間にとりかかる寸前まで手掛けていたのが、ほかならぬ〈最後の晩餐〉なのですが、晩餐がひどく傷んだ状態になった原因である彼の技法選択の失敗が、アッセの間でも繰り返されています。彼はここで、壁画に適したフレスコの技法を用いず、通常は板絵に用いられていたテンペラ技法でのぞんでいます。そのため定着が悪く、顔料の剥落と褪色《たいしょく》が激しく、後世さまざまな手によって補筆がなされ、ついには灰白色の漆喰《しっくい》で壁面全体が覆われてしまっていました。

　アッセの間の壁面装飾が再びその姿を現したのは、ようやく一八九三年におこなわれた修復によってです。以降、何度か修復がおこなわれ、つい最近も、最新の修復が終わって一般公開が再開されたところです。ここに掲載した写真（図38）はそのお披露目の展覧会の時に撮影したものです（二〇二〇年二月）。

　装飾はレオナルド独特のものです。彼は四方の壁から生えた桑の木が枝を生い茂らせ、天井面全体を枝葉が覆う一種のだまし絵を描いています。かつて古代ローマのポンペイの壁画などで見られたこうした技術が、ルネサンスになってアンドレア・マンテーニャやレオナルド自身によって復興された好例です。天井の中央にはイル・モーロのインプレーザ（紋章）があって、周囲の枝葉の間から、木漏《こも》れ日《び》が差し込んでいるような幻覚に当時の人はとらわれたことでしょう。

優雅な曲線パターンを繰り返しながら、複雑にからみあう植物紋様は、第二章に見た「アカデミア・ディ・ヴィンチ」のエンブレムを思わせます。実際に、これらの制作時期はほぼ重なっており、植物が描き出す不思議なデザインに当時のレオナルドが心奪われていたことがわかります。彼は自然の力にある種の畏敬の念を抱くに至っており、ここでも、側壁の一部に、石垣に入り込む根の姿が描かれています（図39）。木の根は周囲の石ブロックを押しのけ、破壊しながら根を張っています。人工物に自然が勝っているところが肝要で、この見方が後に〈ラ・ジョコンダ〉（口絵13）や終末思想などで結実することになります。

図39　修復によってあらわれた根の部分

史上最大の挑戦

さてここで、レオナルドがミラノへ自らを売り込んだ自薦状を振り返ってみましょう。十項目あって、九番目まではすべて軍事の専門家としてのアピールだったことはすでに見ました。彼は十番目でようやく、自らの芸術上の技能を控えめに、しかし最も字数をさいてアピールします。では十番目がどのような内容だったか、少し長くなりますが引用してみましょう。

十、平和時には、他の人たちよりも、建築、公的・私的双方の建物、引水事業などで陛下にご満足いただけるでしょう。同様に、大理石像、ブロンズ像、陶製像によっても、また絵画によっても、お望み通りのもので他の者よりもご満足いただけるでしょう。さらには、ブロンズによる騎馬像をもし実現させていただけるならば、スフォルツァ家にとって、陛下の父君の名を不滅のものとする、永遠の誉れとなることでしょう。

読者の皆さんは、本書の冒頭でミケランジェロに罵られた「ブロンズで鋳造するための馬」を覚えていらっしゃると思います。それが、ここに引用した自薦状にも書かれている「ブロンズによる騎馬像」のことです。掲載したデッサン（図40）はこの計画のための初期のもので、従来の騎馬像の伝統的なスタイルである三脚接地スタイル（前脚を一本だけ上げるもの）ではなく、両前脚とも上げる二脚接地スタイルである点に特徴があります。

レオナルドが自薦状に書いているぐらいですから、イル・モーロがそのようなものを作りたがっていることはすでに広く知られており、実際に、レオナルドより先にポッライウォーロ工房が名乗り出ており、その際に示した案も残っています。それは馬が両前脚を高く上げ、荷重分散のために前脚の下に倒れた敵兵がいるもので、驚くことに、レオナルドがそれをそっくりそのまま自らのアイデアに採りこんでいます。

図40　レオナルド・ダ・ヴィンチ、〈騎馬像のための準備素描〉、1485-90年頃、紙にシルヴァーポイント、ウィンザー城、王立美術館　RL 12358r

騎馬像を制作するにあたって、レオナルドが師ヴェロッキオによる〈コッレオーニ騎馬像〉（図41）を意識しなかったはずはありません。古代のローマ皇帝や凱旋《がいせん》将軍をたたえるためのものだったブロンズ製騎馬像は、ルネサンスで復活した古代芸術のひとつですが、その最大のものがまさにヴェロッキオによるものであり、すでに述べた通り、レオナルドも一時期参加したに違いなく、その実績があったからこそ、イル・モーロも構想実現のためにレオナルドを選んだのでしょう。

図41　アンドレア・デル・ヴェロッキオ、〈バルトロメオ・コッレオーニ騎馬像〉、1481–88年、ヴェネツィア、サンティ・ジョヴァンニ・エ・パオロ教会広場

　レオナルドは師を超えるために、そして自らの挑戦心と名声欲を満たすために、馬の構造をよく学び（図42）、そしてふたつの狙いを打ち出します。ひとつは、先に見た二脚接地という、それまで誰もやったことがないポーズであり、そしてもうひとつが、かつてないほどの大きさです。そのため、イル・モーロの拡大政策とも合致して、騎馬像計画は急速に肥大化していきました。それまで最大だった師のコッレオーニ騎馬像は四メートルの高さを誇っていましたが、レオナルドのそれは最終的に七メートルほどにもなるサイズになっていきます。

　そうなると、当初の計画のように後ろ脚だけでいなくように立つ大胆なポーズでは無理と判断して、伝統的な三脚接地ポーズに落ち着きます。ちなみに、その後の時代も含めて最大のブロンズ製騎馬像は、ジラルドンによるフランス王ルイ一四世のもので、パリのヴァンドーム広場にありました。レオナルドより二世紀ほど後のもので、やはり七メートル近くあったのですが、フランス革命で破壊されてしまいました。

絶頂と暗転

史上空前の規模となったために、レオナルドは複数の炉を組み込んだ一大プラントを造る必要がありました。できるだけ軽くするために鋳型と中子《なかご》の間をできるだけ薄くする必要がありますが、しかし同時に、自立できるだけの強度を持たせなければなりません。熱せられたブロンズは順序正しく下方から均一に流し込まれなければならず、さらに冷却によって体積が激しく変化することまで計算する必要があります。そして次なる工程へ移すため、何十トンもの重量物を運ぶ起重機を開発し、かような移動に耐えうる外枠まで考案しなければなりません

図 42　レオナルド・ダ・ヴィンチ、馬のスケッチ、1485-90 年頃、ウィンザー城、王立図書館　RL 12321

（図43）。レオナルドは、おそらく本体の塑像制作よりもはるかに多くの時間をこれらの部品・部材開発のために割いたことでしょう。

ミラノに駐在していたフィレンツェ大使から、イル・マニフィコに宛てた一四八九年の報告書間のなかに、レオナルドがイル・モーロのためにこの巨大な騎馬像を手掛けていることが書かれています。すでにこの事業が国家的な大プロジェクトとして国外にも知られるような存在であったこと、そしていかに当時の文化事業が国の威信を示すために重要性を有していたかがわかります。

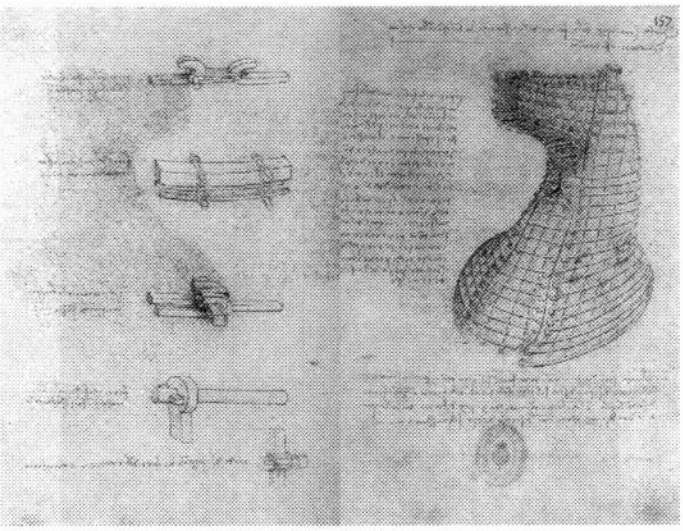
図43　レオナルド・ダ・ヴィンチ、騎馬像のための金属枠組、『マドリッド手稿』、II、f. 156v, 157r.

レオナルドは馬と鋳造設備の研究に没頭し、あまりの遅さにイル・モーロがしびれをきらすこともありましたが、原寸大の模型はついに完成しました。その巨大な塑像模型は、先述したビアンカ・マリーア・スフォルツァと神聖ローマ皇帝マクシミリアンとの祝婚祭典という、これ以上ない晴れがましい舞台で盛大に披露されました。列席した各国の貴賓たちは度肝をぬかれ、レオナルドの彫刻家としての名声は瞬時に全欧州にとどろきました。

おそらくこの瞬間が、レオナルドの人生の絶頂でした。もしそのまま鋳造がなされていれば、私たちはきっとレオナルドのことを、画家としてよりも前に、まず騎馬像の彫刻家として認識しているはずです。今となってはスケッチから想像するしかないのですが、そこから立体化を試みた例が世界でいくつかあります（そのうち三脚接地タイプの一例が名古屋の国際会議場にあります）。ここでは、レオナルドが最初にトライしようとした二脚接地タイプの立体化が試みられた、世界的にも珍しい復元例があるのでご紹介しておきます（図44）。

不運なことに、塑像模型をお披露目した翌年の夏、ナポリの継承権を主張するシャルル八世に率いられたフランス軍がイタリアに侵入してきます。イル・モーロは最初フランスを引き入れる側だったのですが、イタリア諸国が対仏大同盟を組む気配を察して、あっさりと反フランスに転じてしまいます。ともあれ、イタリア半島がきなくさくなってきたため、騎馬像の鋳造用に集められた七〇トン以上もの青銅は、急遽《きゆうきよ》大砲の鋳造へと転用されてしまいました。

戦に敗れてシャルル八世はほうほうの体でフランスに逃げ帰り、かの地で悲憤にくれながら世を去ります。しかし、ひとりの君主の下に全国民がぶらさがる絶対王政国家をいち早く作り上げたフランスは、いまだ群雄割拠状態にあるイタリア諸国にとっての脅威的な存在と

図44　レオナルドの初期構想に基づく復元例。制作：東京造形大学（「没後500年　ダ・ヴィンチ・プロジェクト」より。制作指導：井田勝巳、監修：池上英洋）、ブロンズ、2019年

なっていました。軍の規模も破格で、半島諸国がそれぞれ一千～数千騎規模の国家軍を編成していたのに対し、フランス国軍は三万人を超えていました。もはやこの流れは変えられず、結局シャルル八世のあとを継いだルイ一二世が、一四九九年にミラノに入城。イル・モーロは逃亡し、捕虜となって一五〇八年にフランスで虜囚のまま獄死を遂げることになります。

「公は国も財産も、自由も失ってしまった」と、レオナルドが『パリ手稿』に書き込んでいます。レオナルドが万能の才を開花させる機会を与えてくれたイル・モーロはミラノからいなくなり、レオナルドはパトロンを失ってしまいました。数年前まで絶頂にいた彼にとって、運命はあまりに理不尽な仕打ちを下します。こうして、レオナルドはミラノを離れ、しばらく北イタリアをまわる日々が続きます。しかしミラノに自らを売り込んだ頃と違うのは、すでにレオナルドの名声が半島中だけでなく、フランスなど他国にまで聞こえていた点です。

第四章　その暮らしと人となり

レオナルドのノートには、彼の暮らしぶりがわかる記録がいくつか残されています。『アトランティコ手稿』に書かれている、ある週の月曜日と火曜日の買い物リストを見てみましょう。

肉	一〇ソルディ	
ワイン	一二ソルディ	
麦ぬか（クルスカ）	五ソルディ	四デナーリ
葉野菜（エルバ）	一〇ソルディ	
リコッタ（チーズ）	四ソルディ	四デナーリ
オレンジ（メラランチャ）	三ソルディ	
パン	五ソルディ	
月曜（の合計）	四九ソルディ	八デナーリ

蝋燭《ろうそく》	六ソルディ	
ワイン	一二ソルディ	
麦ぬか	五ソルディ	四デナーリ
リコッタ	四ソルディ	四デナーリ
葉野菜（エルバ）	八ソルディ	
火曜（の合計）	三五ソルディ	八デナーリ

ソルド（複数形でソルディ）とは、当時の銀貨の単位です。基準通貨であるフィオリーノ金貨を基準にソルドの価値を算出するのですが、ソルドは地域通貨で、また銀は金よりもはるかにインフレが激しかったので、換算は簡単ではありません。ざっと一フィオリーノ（＝約三万円としておきましょう）が五〇ソルディ程度なので、一ソルドは六〇〇円に相当します。ちなみに、一ソルドは一二デナーリ銅貨で換算します。

こうしてみると、レオナルドはほぼ毎日二万円以上の支出をしていることになります。ずいぶん多く感じられますが、工房全員の食事をまかなう食材の費用です。レオナルドの工房は五人前後なのでラファエッロらの大工房に比べると小規模ですが、当時の芸術家には、こうした人件費や食費を切り盛りできるだけの経営者的資質も必要とされていました。

当時は冷蔵庫が無いので、食材は毎日買う必要があります。そして、晩年に菜食を推奨するようになるレオナルドですが、よく肉を食べていたことがわかります。

ついでに、レオナルドの買い物リストや数か所のメモからわかる、彼の食卓に並んでいてもおかしくないメニューを並べてみます。赤ワイン（白ワインも飲んではいますが）に、レモン水（レモンを漬けた水に砂糖などを入れた清涼飲料）。パン（もちろん精製された白パンではなく、茶色のジメッとした固いパン）にリコッタ・チーズ。肉（猪《いのしし》、ウサギ、鶏など）のロースト、味付けは塩のみ（胡椒《こしょう》は大航海時代に普及し始めます）。ニシンやウナギ（ぶつ切りにして焼いたもの）に、レモンをかけて。インゲン豆のスープ（トスカーナ地方の代表的な食野菜、スープにはねじって切ったパスタ状のものが沈んでいても可）。あるいは葉野菜のサラダとオリーブ。そして果物（オレンジ、メロン、イチジク、ベリー類）。砂糖はまだまだ高級品ですが、蜂蜜はよく使われました。

ヴァリエーションはさほどありませんが、なんだか健康的に見えます。イタリア料理と言えばトマトソースを思い浮かべる方がほとんどだと思いますが、トマトはレオナルドが亡くなる頃にようやく新大陸からもたらされ、しかも最初は毒があると信じられて鑑賞用だったので、まだレオナルド工房の食卓にはのぼりません。同様に、カボチャやトウガラシ、トウモロコシやジャガイモなど、今日のヨーロッパ料理でよく目にする多くの食材が新大陸由来です。ついでに、イタリアでひと休みするならバールでエスプレッソが定番ですが、コーヒーや紅茶も当時はまだありません。

日用消耗品の代表格が蠟燭です。電気がまだ無いので当然ですが、充分な光量が得られるわけではないため、当時のヨーロッパは夕方になると非常に暗かったでしょう。産業革命はまだまだ先なので、衣服は比較的高価です。木綿（コットン）がまだほとんど無いかわりに、羊毛（ウール）や亜麻布（リネン）、動物の皮革などがよく使われていました。彼のノートには服を購入した時の代金もいくつか書かれていて、普段使いのシャツ一枚が約五〇〇〇円ものしたことなどがわかります。カテリーナという、実母と思われる女性に六〇〇〇円ほどのものを買い与えたメモも出てきていますが、ちょっとしたブラウスかなにかかもしれません。一方で、可愛がっていたサライに立派な服を仕立ててあげた記録では、仕立て料も含めひと揃《そろ》いで三〇万円もかかっています。絵画のなかではたいていい聖母マリアが青地の絹（シルク）のドレスを着ていますが、高価な染料と布地なので、実際にもあったでしょうが、ひと揃いでおそらく今日の小型車を一台買うような感覚だったことでしょう。

当時の年収とレオナルドの稼ぎ

もし私が十分なお金を持っているとお思いでしたら、それは閣下がお間違いです。なぜなら私は三六か月にわたって六人を養ってきましたが、五〇ドゥカーティしかいただいておりません。（『アトランティコ手稿』より）

レオナルドはイル・モーロに宛てて、三年間で五〇ドゥカーティしか貰《もら》っていないと苦情を言っています（この記述はその手紙の草稿だと思われます）。一年あたり五〇万円にしかならないので、工房の弟子たちや召使いをかかえる身には確かに少ないと言えます。もちろん彼の工房には公を通さない注文も来ているでしょうから、これだけが全収入というわけではありませんが。

当時の芸術家がどの程度稼いでいたかというと、徒弟奉公の初年度であれば普通は月に三万円程度しかもらえません（もちろん住み込みで食事つきです）。これが年数を経るごとに上がっていって、五万、一〇万と増えていきます。ここから将来の開店資金を貯蓄していくわけですが、充分ではないので、親方資格取得後もレオナルドのように師匠の工房に出入りする人が多いわけです。女性の場合であれば、持参金制度があるせいでたいてい長女しか実家から送り出せず、次女以降は女中などの奉公に出ます。彼女らは奉公の間に自らの結婚持参金を貯《た》めていくことになります。

この持参金がかなりの負担となることはすでに書きましたが、第二章でも触れたように、たとえばレオナルドの〈東方三博士の礼拝〉の契約書に、ある女性の持参金として一五〇フィオリーニを支払うよう書かれていました。なんと約四五〇万円にものぼるので、教会参事会員クラスの家庭の娘に違いありません。これがメディチ家あたりまでいくとゆうに数千万から億になります。

ちなみにルネサンス当時の公務員の平均年収は三〇〇万円、大学教授は初年度で三〇〇万円、昇任して一〇〇〇万円ほどになります。チェーザレ・ボルジアなどが学んだ名門ピサ大学法学部の教授ともなると、年収は三〇〇〇万円を超します。なお子息を大学で学ばせる際の費用を調べた研究もあって、学費は年に約六〇万円以上、滞在費をあわせると二〇〇〜三〇〇万円かかります。そんなわけで、大学生の実家はお金持ちばかりです。一方で、ごくふつうの商家の勤め人の初年度年収は一五〇万円しかなく、召使ともなると年あたり約三〇万円にしかなりません。今よりも貧富の差が大きいことがわかります。

レオナルドの少し前のスター画家のひとりにフラ・アンジェリコがいますが、教皇庁から、コストがかかる材料費や生活費とは別に年あたり六〇〇万円ほど支払われていたことがわかっています。しかし工房にいた助手には年わずか三六万円しか支払われていないので、工房内でも相当に格差があったわけです。また本書でも何度か登場するイザベッラ・デステがいたマントヴァの宮廷画家マンテーニャには、食住費と別に年五四〇万円が支給されているので、実入りは悪くありません。

これらの額が三巨匠の活躍中に高騰していくのですが、たとえばラファエッロやミケランジェロは教皇庁から年三〇〇〇～五〇〇〇万円の年俸を得、プロジェクト全体では億を超える予算を切り盛りしています。第九章で紹介しますが、同時期にレオナルドは一二〇〇万円程度の年俸で工房を運営していましたから、他の二人と比べるとやはり見劣りします。巨大な作品を仕上げた実績がほとんど無いので仕方がありません。レオナルドが年に三〇〇〇万円以上の年俸を手にして他のふたりと肩を並べるには、晩年のフランスで宮廷画家となるまで待たなければなりません。

図45　レオナルドの葡萄園（門跡の奥）。調査と修復を終え、2015年に公開されたもの。ミラノ

ただ、〈最後の晩餐《ばんさん》〉の制作現場を目撃して手記を残したマッテオ・バンデッロ少年（後述）が、次のようなエピソードを残しています。とある枢機卿《すうききょう》が〈最後の晩餐〉を眺めに来て、レオナルドに、主君イル・モーロからいくら貰っているのかと無粋な質問をします。それに対してレオナルドが答えた額があまりに高かったので、それまで「たかが絵描き風情《ふぜい》」程度にしかみていなかった枢機卿は、途端に不愉快そうな顔になったというものです。この時、レオナルドが答えた額はなんと年に二〇〇〇ドゥカーティ、つまりここでの大雑把《おおざっぱ》な換算レートに直すと六〇〇〇万円にもなります。レオナルドが虚勢をはった可能性もありますし、作家の記憶が曖昧な可能性もあるのですが、この数字なら枢機卿が驚くのも無理はありません。

面白いところでは、イル・モーロがレオナルドに与えたもののなかに葡萄《ぶどう》園があります。現在のサンタ・マリア・デッレ・グラーツィエ教会のすぐそばにあるこの小さな葡萄園と二棟の邸館は、一四九九年にレオナルドに贈られました。彼は嬉々《きき》として、何本のブドウからどれ程のワインができて、売れば幾らになるかを計算したり、ワインを美味しくつくる方法を考えることに熱中します。彼がミラノをあとにしてからも、代理人を介してこの葡萄園の経営は続けられ、今年のワインは美味しくないのでがっかりだ、木の根もとを石灰などで覆ったほうがよい、などと落ち込んでいる手紙まであります。レオナルドの人間的な一面がわかるエピソードです。

近年の調査でマルヴァジア種の葡萄を育てていたことまで判明したこの園は、レオナルドの遺言書にしたがって、サライともうひとりの召使いであるヴィッラーニに等分に割贈されます。その後も一部は残ったものの、一九二〇年の火災と一九四三年の爆撃で破壊されましたが、近年に修復を終えて現在は一般公開されています（図45）。

レオナルデスキたち

彼の工房にいた弟子のなかには、自ら画家としてそこそこ名をあげるようになるマルコ・ドッジョーノ、レオナルドの友人でもあったジョヴァンニ・アントニオ・ボルトラッフィオ、後期の弟子であるジャンピエトリーノ（本名ジョヴァン・ピエトロ・リッツォーリ）などがいます。晩年に工房に加わったフランチェスコ・メルツィはレオナルドの三九歳も下で、息子がわりに可愛がられて遺産相続人に指定されます。もともと貴族の子息ですが、それでも工房に入ることに親が反対しなかったのは、晩年のレオナルドがそれだけ高名だったということでしょう。

加えて、チェーザレ・ダ・セストやベルナルディーノ・デ・コンティといった、手稿に名前が登場しないものの、明らかに工房と協働していた画家たちがいます。アンブロージョ・デ・プレディスやフランチェスコ・ナポレターノなども彼が指導したと言えます。彼らのことを「レオナルデスキ」と呼びます。そのなかには、たとえ直接の指導を受けたことが証明されていなくても、周辺にいて強い影響下にあったベルナルディーノ・ルイーニらも含まれます。レオナルデスキはレオナルドの独特の世界観や個性的な技法を伝えていきますが、その影響は限定的なものにとどまりました。

ほかにも、彫刻分野でジャンフランチェスコ・ルスティチ、音楽分野でアタランテ・ミリオロッティといった弟子を育てています。ただ、師のヴェロッキオや先輩のペルジーノ、ミケランジェロやラファエッロらが運営していた大工房と比べると、レオナルドのそれはぐっとコンパクトです。芸術上の仕事量の差もありますが、親分肌のミケランジェロなどと違って、レオナルドは周囲に壁を築くタイプということもその原因でしょう。その半面、社交の場ではウィットに富み、そのエレガントな立ち居振る舞いで魅力的だったというのですから、とらえどころのない二面性を持っています。

すでに何度か登場したサライですが、彼がはたして弟子だったかどうかはいまだに議論の対象です。レオナルドが三八歳の年に一〇歳で工房に来た少年ですが、前述したように、やたらと手癖が悪く、しょっちゅう工房の兄弟子たちの銀筆（およそ一万二〇〇〇円相当）などを盗んでいます。大食らいで下品で何度もレオナルドを悩ませますが、美少年でどこか憎めない性格だったのでしょう、レオナルドはジャン・ジャコモ・カプロッティという名のこの少年を、ルイージ・プルチという詩人の叙事詩『大モルガンテ』に出てくる小悪魔の名サライで呼ぶようになります。

先述したようにレオナルドはサライに何度か服などを仕立ててやっています。サライはミラノ以降もレオナルドと一緒にいて、ローマやフランスへの移住に付き合っており、結局、レオナルドが最も長年一緒に過ごした相手になります。それだけでなく、『アトランティコ手稿』には、「サライよ、私は疲れたよ。だからもう争いはおしまいだ。降参するから、けんかはやめにしよう」という意味深な一文が出てきます。これは弟子というよりは年の離れた弟や、恋人に対する態度といえます。

葡萄園を半分遺贈されたり、後にはサライ自身の遺産目録に、おそらくは工房作と思われるものの〈ラ・ジョコンダ〉などが記載されているので、近年は作者がよくわからないレオナルド派の作品が出てくるたびにサライに帰属させる傾向があります。ただ、レオナルドが遺言書のなかでさえ、サライを「召使い」と、弟子であれば普通は使わない呼称で記しているのもまた事実です。

愛と友情

当時、街には目安箱に相当するものがあり、匿名で他人の罪を告発することができました。フィレンツェでまだレオナルドが修業中の一四七六年に出された、ある告発文書が残っています。そこには、ヤコポ・サルタレッリという一七歳前後の若者の男色行為が告発されており、彼と関係を持った四人の名も挙げられています。そのなかにレオナルドの名があります。

性的嗜好《しこう》をあまり詮索する気はありませんが、生涯独身ですごしたレオナルドは、前述したようなサライとの関係性からしても、人体解剖や絵画で女性の性的側面にほとんど関心を払わない点からみても、同性愛者には違いありません。そして当時のフィレンツェでは、古代ギリシャのプラトン的少年愛が、古典復興の一環かのように復活していました。ドナテッロやミケランジェロ、ボッティチェッリもレオナルドと同じような告発をうけたことがあり、師のヴェロッキオも二度密告されたことがあります。

密告された者は取り調べをうけますが、立証しにくいため、重罪相当ながら滅多に有罪にはなりませんでした。ただ風評被害としての効果は充分あるので、レオナルドの件でも、訴えられたなかにトルナブオーニという名家の子息の名もあるので、告発自体が政敵によるものかもしれません。彼らは二か月後に再度審理をうけましたが、トルナブオーニ家の力か、法曹界にいるセル・ピエロの助力か、結果的に告訴は棄却されています。

ひとしく同性愛者であっても、ミケランジェロにとってのヴィットリア・コロンナのような、精神的に深い交流を長年続けられるような女性の友人はレオナルドには見当たりません。そもそも、レオナルドには親友と呼べるような存在があまり見あたらないのです。それでも、通称イル・ピストイアという詩人アントニオ・カッメッリとは、ミラノ宮廷時代に一時期親しくつきあったようです。レオナルドの手稿には時おり本人以外の筆跡による書き込みがありますが、そのうち「わがリオナルドよ、なにをそれほど悩むのか」という書き込みを、イル・ピストイアのものとする説があります。

また、一四七八年に書かれた紙葉には、フィオラヴァンテ・ディ・ドメニコという人物の

図46　レオナルド・ダ・ヴィンチ、カテリーナについての記述、『フォースター手稿Ⅲ』、f. 88r.

名があり、かすれて判読しにくいのですが、「私の最も親しい友人で、兄弟のようだ」と書かれています。この人物に関する記述はこの一回限りなので、どのような人物だったかはわかっていません。

家族に対して抱いていた気持ちも、レオナルドはあまり見せてくれません。一五〇四年に父が亡くなった時も、「七月九日、一五〇四年の水曜日七時、セル・ピエロ・ダ・ヴィンチが亡くなる。ポデスタ宮の公証人で、わが父」（『アランデル手稿』より）と、淡々と事実を記すのみです。それから少し後には叔父も世を去り、すでに述べたように異母弟妹との間で相続裁判に突入しています。このように親族とわだかまりを抱えていたことも、彼が自分のまわりに壁を築くタイプになった原因のひとつかもしれません。

そのなかにあって、まだミラノにいた頃に唐突にあらわれる次のようなメモは私たちの注意をひきます。「カテリーナ来る。七月一六日、一四九三年」（『フォースター手稿Ⅲ』より）（図46）。カテリーナという名は当時珍しくない名前なので、新しい召使いを雇ったことをメモしただけかもしれません。その約半年後には、先述したように、カテリーナのために一〇ソルディを二度使った記録があります。さらに、他の場所には「カテリーナが何をしたいか言ってくれるか……」という書き込みもあります。

カテリーナの名前が特別な重みをもって現れるのは、彼女の葬儀にかかった費用をレオナルドがリストにした時です。蠟燭や棺桶《かんおけ》、棺《ひつぎ》を被う布や聖書にかかる費用、棺を運ぶ人と墓掘人夫への支払い、司祭や医師への謝礼など、あわせて一二九ソルディ。感情的な文章の記載は一切無いのですが、ただの召使いのことだとはとても思えません。というのも、長い間には家中や工房にいた者の葬儀は他にもあったと思われますが、後にも先にも、レオナルド自身が葬儀をとりおこなってリストにしたことは他にないのです。

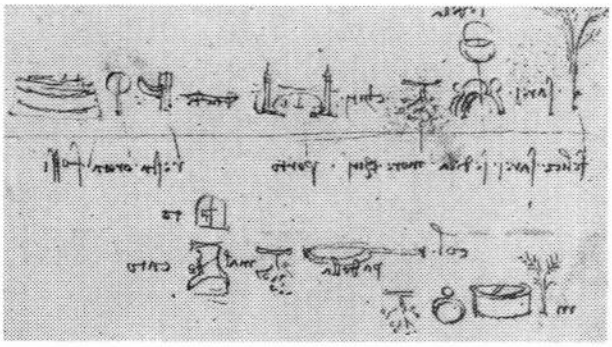
図 47　レオナルドによる判じ文字の一例、ウィンザー城、王立図書館 RL 12699.

アカッタブリーガのもとに嫁いだ実母カテリーナは、息子一人と娘四人をもうけますが、一四九一年にはその息子フランチェスコを戦争で失い、同じ頃に夫も亡くしています。授乳後すぐに同じ屋根の下で寝ることはなくなっても、狭い谷の隣村でしばらく顔を合わせていたはずの母と子です。身寄りを亡くして自らを頼

図48（右）　レオナルド・ダ・ヴィンチ、自画像とされるデッサン、1512年頃か、33.3×21.3 cm、トリノ、王立図書館　図49（左）　伝フランチェスコ・メルツィ、〈レオナルドの肖像〉、1510年以降、ウィンザー城、王立図書館

って来た母は、六〇歳をすぎています。こうして二人は、死が分かつまでの一年少しの短い間を、しかし二人きりの穏やかな時間を、ついに過ごすことができたのではないでしょうか。

膨大な量にのぼる手稿のなかで、レオナルドの心情をあらわす書き込みはそう多くありません。ただ、絵を用いて文を作る「判じ文字」の遊びのなかには、「あなたへの愛がもし叶《かな》うならば私は幸福だ」と書かれているもの（図47）や、「しかし私は苦悩しているのだ……」と読める文などがあります。ただの言葉遊びかもしれませんが、ひょっとすると彼の感情が吐露されているのかもしれません。

レオナルドの顔

トリノに、レオナルドの自画像とされる名高いデッサンがあります（図48）。晩年のものと思われますが、それにしても、六七歳で亡くなったレオナルドの自画像としては年老い過ぎているような気がします。ただ、平均寿命が五〇歳前後だった当時にあっては、充分に死期を意識せざるをえない年齢で描かれたものです。彼は人生が終わりに近づいていることを自覚し、自らをあたかも悟りを開いた賢者のように描くために、意図的に老いた姿で描いたのかもしれません。

図50　レオナルド・ダ・ヴィンチ、女性の頭部のスケッチ（〈岩窟の聖母〉の大天使ウリエルのためのスケッチ）、1483年頃、トリノ、王立図書館

実際には、彼は美男だったとの証言がいくつかあります。メルツィが描いたものとされる肖像（図49）は、師の知性と優雅さをよく描き出しています。ただ派手好きだったようで、カーヴをつけた長い髭《ひげ》をたらし、足元まである長い丈のコートが一般的だった時代に、丈の短い真っ赤な上着を着ていたと、例の

『アノニモ・ガッディアーノ』が伝えています。レオナルドは概して流行に反発するきらいがあり、この頃は裾が長くなって皆引きずって歩いている、とやや軽蔑口調の感想を残してもいます。襟を短くするのが流行していたと思ったら、最近は逆に襟が滑稽なほどに高く大きくなって横からだと顔も見えない、といった具合の小言も記しています。

飾られた美ではなく真の美を見よ、という彼の考えは、次の言葉に示されています。「ひとの美しさのうち、観る者を引き留めるのは顔そのものの美しさであって、高価な装飾品ではないことを理解せよ（……）貧しい身なりをした村娘が、着飾った娘たちよりもはるかに美しさをたたえているのを君は見たことがないか」（『絵画論』より）。実際に、〈岩窟の聖母〉の大天使ウリエルのモデルになったと思われる女性のスケッチ（図50）では、被りものから普通の町娘とわかる素朴な女性の、飾らない素材自体が見せる一瞬の美しさがとらえられています。

第五章　作品を読み解く①〈最後の晩餐〉――レオナルドの試行錯誤を辿る

レオナルドの代表作のひとつ〈最後の晩餐《ばんさん》〉（口絵11）は、ミラノのサンタ・マリア・デッレ・グラーツィエ教会の修道院にあります。レオナルドが描いたなかで最大のサイズを誇り、彼が完成させた数少ない作例のひとつで、そしてついに画家としての栄誉を彼にもたらした作品です。

かつてはこの作品を見るために長い長い列に並んで待たなければならず、筆者も三時間も並ばされたことがありますが、現在はすべて予約制になっています。作品にこれ以上のダメージを与えないよう、いくつもの部屋で待たされながら入り、一五分程度で追い出されてしまいます。かつて食堂だったその部屋はとても細長く、天井は第二次大戦時の爆撃で落ちて戦後架け替えられたため真っ白です。晩餐図の上にかろうじて残る三つの半円の壁（ルネッタ）部分も、レオナルド工房の作品です。ルネッタの装飾はセッコ技法（後述）で描かれており、かなり剝落していますが、スフォルツァ家の三名の紋章がルネッタの中にそれぞれ描かれています。中央のひときわ大きな紋章がイル・モーロのもので、短冊状の枠のなかにうねうねと蛇のような姿がかすかに見えます。これはビッショーネと呼ばれる、人を呑み込もうとしている蛇で、本来はヴィスコンティ家の紋章です。同家はかつてミラノ公としてながくミラノを支配していましたが、傭兵隊長《ようへいたいちょう》あがりのフランチェスコ・スフォルツァ（イル・モーロの父で騎馬像のモデル）が政権を簒奪《さんだつ》するにあたって、ビアンカ・マリーア・ヴィスコンティを妻にしたことにより、自らの紋章に採りこんだのです。

一四九五年、イル・モーロからの注文をうけて、レオナルドは〈最後の晩餐〉の制作を開始しました。イル・モーロはサンタ・マリア・デッレ・グラーツィエ教会をスフォルツァ家の菩提寺《ぼだいじ》にしようと考え、よくここを訪れては、いずれ自らもここに眠るものと考えていました。当時ミラノにいた大建築家ドナート・ブラマンテが内陣を手がけ、修道士たちが一堂に会する食堂の南壁には、すでに画家ドナート・モントルファーノが〈キリストの磔《たっ》刑《けい》〉を完成させつつありました（現在も〈最後の晩餐〉の真向いの壁に残っています）。そしてあいていた向かいの壁には、もっと食堂にふさわしい主題、〈最後の晩餐〉が選ばれたのです。

構図上の試行錯誤

「あなたがたのうちの一人が、わたしを裏切ろうとしている」（『マタイによる福音書』より、新共同訳）。この主題は、キリスト教徒にとって聖書中の単なる一場面にとどまりません。最後のお別れの食事といった、感傷的な意味合いによって重要性を持つのでもありません。イエスが自らパンを裂き、「これは私の体である」と言って与え、そして杯の葡萄酒《ぶどうしゅ》を「私の血、契約の血」と祈りながら弟子たちに手渡して飲ませます。ミサでキリスト信徒が、舌の上に丸いウエハースのようなものを載せられる場面をご覧になった方もいらっしゃると思いますが、聖体拝領と呼ぶあの儀式では、つまりは最後の晩餐でキリストが使徒たちにおこなった行為を、今に至るまで全信徒が追体験し続けているわけです。

新約聖書中、最も衝撃的なこの瞬間を切り取ろうと、数多くの画家たちが〈最後の晩餐〉に取り組んできました。しかしこの場面が成立するためには、満たさなければならないいくつかの条件があります。ひとつは、当然ながら聖餐式のパンとワインが描かれること。第二は、すべての弟子が登場すること。さらには第三に、裏切り者のイスカリオテのユダが特別な存在であることが示されること。そして最後に、ユダとイエスが同じ盆に手をのばす前後の瞬間であることです。なぜなら、「わたしと一緒に手で鉢に食べ物を浸した者が」裏切る、と聖書にあるからです。

図51　アンドレア・デル・カスターニョ、〈最後の晩餐〉、1447年、フレスコ、フィレンツェ、サンタポッローニア修道院旧食堂

こうした必要条件をおさえつつ、自らの創作意欲も満たすために、芸術家たちは創意工夫をおこなってきました。古代風に全員が寝そべる横臥《おうが》式《しき》に始まって、円卓や長机などさまざまなスタイルが生み出されています。

この問題に対して、ルネサンスの画家たちが編み出した解決法は、横長の食卓を配し、その奥側だけに人物を横一列に座らせる方式でした。アンドレア・ディ・バルトロ、通称カスターニョによる〈最後の晩餐〉（図51）は、やはり修道院の食堂に描かれた晩餐場面である点や、左右均衡のとれた遠近法の厳密な適用などにおいて、レオナルドによる晩餐図の直接的な先行例となりました。ユダを他の弟子たちと同列にしたくはないものの、しかしイエスの近くにいなければ同じ鉢に手を伸ばせないため、同作品のようにユダだけを手前に座らせる構図が主流となりました。しかし、画面中央にただ一人背中を向けて座るユダは、まるで主人公のようです。

いくつかある準備素描を見るかぎり、レオナルドもこの制約に悩んでいます（図52）。紙葉左側のスケッチでは、ユダが食卓の手前側に一人だけ座っていますが、右側のスケッチでは、ユダを中央から外すためか、やや遠くにある椅子から立ち上がってイエスと同じ鉢に手を伸ばさせています。

何パターンか試みられた末に辿《たど》り着いた地点は、それまでのいかなる晩餐図からも遠く離れたところにありました。そこではユダは、他の弟子たちと同じく奥側に並んでいます。彼はイエスを売って得た銭袋を右手で握り、左手はイエスと同じ皿に今まさに手をつけようとして開かれています。通常であれば、他の使徒たちには聖人であることを示すニムブスが頭部にあるので、ユダと他の使徒たちとを容易に判別できるのですが、やっかいなことに、レオナルドは例によって見たことのないものは極力描かないというリアリストです。

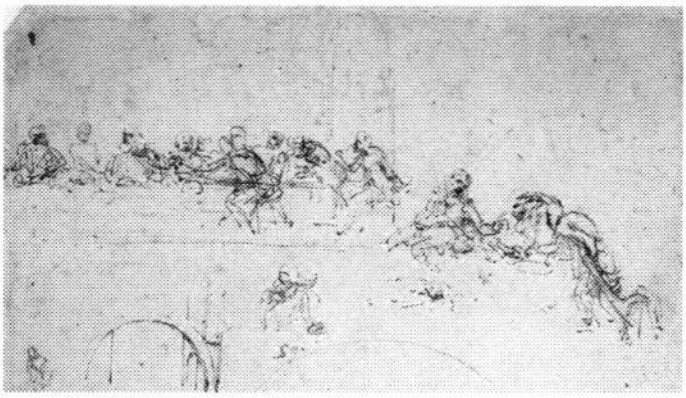

図52　レオナルド・ダ・ヴィンチ、〈最後の晩餐〉のための準備素描、1494年頃、ウィンザー城、王立図書館、RL 12542r

観相学による性格描写

使徒たちがそれぞれ誰かを示す名前などの文字が無く、聖人像にありがちな処刑具などの持ち物による記号（アトリビュート）で個体を認識させる手法さえ使わないので、レオナルドは顔つきと表情、身振りだけで人物たちを区別しようとしています。イエスの言葉を耳にした使徒たちの反応はさまざまで、私は無関係だと言いたげな仕草をとる者もいれば、驚く者、怒る者、ひょっとして自分ではないかと自信なさげな者もいます。

　レオナルドはこうした使徒たちの動きについて、自ら多くのメモを書いています。「もう一人は肩をすくめながら両手を広げ、まなじりを耳まで上げて驚きながら口を開く」（『フォースター手稿』より）。この文は、イエスの向かって右側にいる大ヤコブのことであり、それにあわせて準備された頭部の素描も残っています（図53）。大ヤコブは使徒のなかでも最も大きな衝撃に襲われていて、驚きのあまり口を開き両手を大きく広げ、顔は怒りで険しいものとなっています。完成作で描かれる髭《ひげ》がなく、実在した若いモデルをスケッチしたことがほぼ確実です。

図53　レオナルド・ダ・ヴィンチ、〈最後の晩餐〉大ヤコブの準備素描、1495年頃、ウィンザー城、王立図書館、RL 12552

　人物を描いた絵画は、描かれた人物の動作を通じて、その人の考えを観る者が容易に

理解できるようにしなければならない。――『アトランティコ手稿』より

顔つきと性格や気質を結びつける観相学はレオナルド以前からありましたが、彼はその考えを彼なりに発展させ、気質と相貌との関係を独自に探る作業に没頭しました。彼は市井の人々の性格と容貌を詳細に観察し、彼好みの幾何学を持ち込んで各使徒の身体各部の比率や角度を決定します。例えば使徒の一人の横顔（図54）は突き出した丸い顎などの特徴から、晩餐におけるペテロの顔と性格の研究だと思われます。彼が人間の気質を、なんとか数学的比率と結びつけようとしていることがわかります。

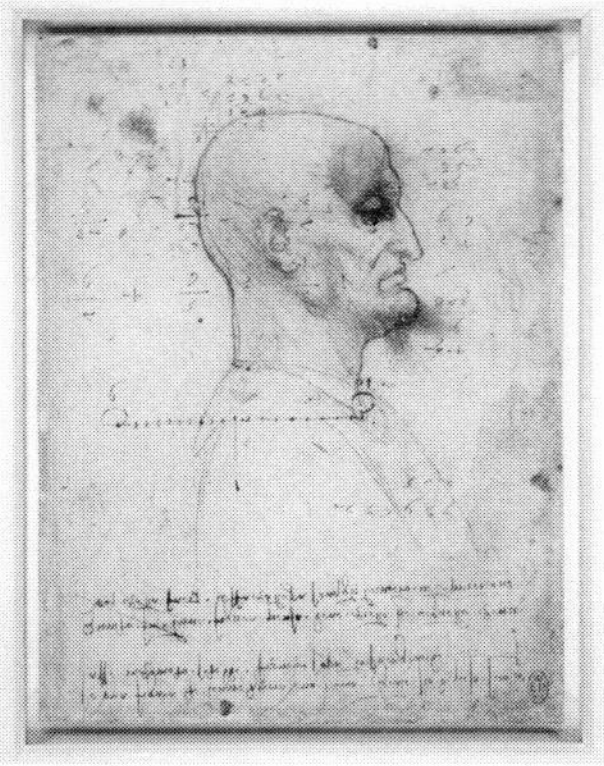

図54　レオナルド・ダ・ヴィンチ、男の幾何学的な横顔の習作、1495年頃、ウィンザー城、王立図書館 RL 12555r

こうして一三人の人物たちが描かれました。それぞれ、頭の位置の向かって左からバルトロマイ、小ヤコブ、アンデレ、イスカリオテのユダ、ペテロ、福音書記者ヨハネ、キリスト、トマス、大ヤコブ、ピリポ、マタイ、タダイ、シモンです。

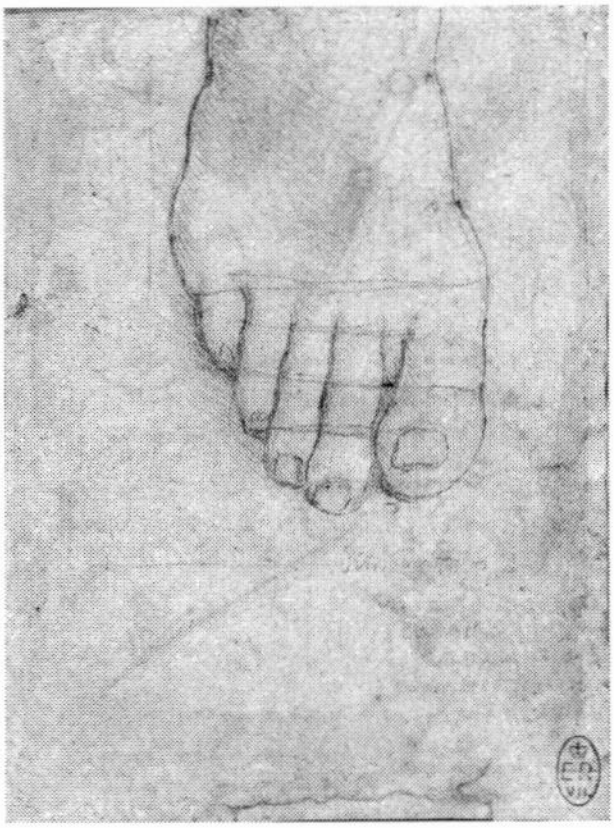

図55（右）　レオナルド・ダ・ヴィンチ、右足の習作、1495年頃、ウィンザー城、王立図書館　RL 12635r　図56（左）　レオナルド・ダ・ヴィンチ、五人の頭部のカリカチュア、1493年頃、ウィンザー城、王立図書館、RL 12495r

ウィンザー紙葉には、今は失われて見ることのできないイエスの右足を描いたスケッチがあります（図55）。ちなみに後述する模写作品にある右足は、同じポーズながらサンダルを履いています。ここでも、足の指の長さと幅まで比例に基づいて描かれ、四本の線で区切られた各部の幅は等しい、と記されています。〈最後の晩餐〉のあらゆる部分に、このようなレオナルドの数的理想が込められています。

レオナルドは観相学に基づき、戯画的な人相画をいくつも描いています。そのうちの一枚（図56）では五人の頭部が戯画的に描かれ、ひとコマ漫画のようなストーリーを創り出しています。不相応な月桂冠《げっけいかん》を被った中央の老人を、周囲の四人が笑っています。顔のパーツを戯画的に誇張された四人は、それぞれが狂気や悪意の観相学的イメージであるとされています。あるいは、中央の人物を、真の実力を発揮できずにいるレオナルド本人の自虐的な姿と深読みすることも可能でしょう。

聖数三と波紋

さて弟子たちは画面のなかで、三人ずつでひとつの三角形を、全部で四つの三角形を創り出しています。イエスの両隣の三人組がいずれも密に固まる一方、両端の集団はお互いややや離れているので、三角形は外側のほうが大きくなります。一瞬の静寂が訪れたこの空間の中で、イエスのひとことによる衝撃が、まるで波紋のように弟子たちの間に広がっていくようです。実際にこの頃、レオナルドは水面に落下物が作り出す波紋の形状と広がり方の観察もしているので、ここにもその成果が活かされているのかもしれません。こうした決定的な一瞬のドラマをヴァリエーション豊かに描き出す感情表現が、まず何よりも〈最後の晩餐〉が同主題の他の作品の追随を許さない所以《ゆえん》です。

後方の開口部も三つなら、両側壁で花柄のタペストリーに挟まれたドアも三つずつ。三という数字は、父なる神と子キリスト、聖霊が同一のものの別の位格であるとする、いわゆる「聖三位一体」の数字でもあり、数的秩序に神秘を見出していた当時の思潮とレオナルド自身の志向性を反映しています。彼がこの晩餐図に数的神秘を厳密に適用しただろうことは、先述したように顔の細部や足指の長さにまで比例を計算していることでも明らかです。ついでに、当時はパチョーリの神聖比例に心酔している時期でもあります。

人物たちはこうして激しい身振りを示しながらも、しかし作品全体としては不思議なほどの静けさに包まれています。これはレオナルドの遠近法が作り出す均衡の効果です。晩餐図全体の空間を遠近法が支配していて、すべての線が、イエスの顔にあたる中央消失点にむかって集束し、空間全体が収斂《しゅうれん》していきます。そのため、観る者の視線はイエスの顔へと自然に導かれます。レオナルドは遠近法作図にあたって、画面中央に釘《くぎ》をうち、そこから紐《ひも》をひっぱって集束線を引いています。実際に、イエスのこめかみ部分に今も小さな釘跡が残っています。

一方で、晩餐図は観る者の眼の高さよりも上にあるので、理論的には食卓の上の面が見えるはずがありません。しかし、パンやワインはこの主題における重要な要素なので、レオナルドは、作品を観る者の身長や眼の高さを無視することを選んだのでしょう。つまり、この作品を正しい位置から見ようと思えば、イエスの顔と同じ高さまで飛び上がらないといけません。そのため、遠近法の一種である加速遠近法（一種の歪曲画《わいきょくが》＝アナモルフォーズ）を用いたのではとの意見もあります〈第二章で述べた〈受胎告知〉のマリアの「長すぎる右腕」に対しても同じ意見があります〉。たしかにレオナルドは史上初めてアナモルフォーズを用いた人物ではありますが、そこまでの知識はなかったでしょうし、もしそのレベルまで知っていたなら、ここでももっと上手に用いるはずです。

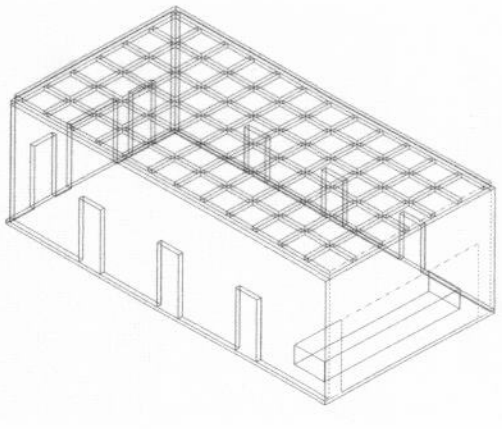

図57　〈最後の晩餐〉に描かれた空間の3D俯瞰図。制作：東京造形大学（「没後500年　ダ・ヴィンチ・プロジェクト」より。制作：上田知正、監修：池上英洋）、2019年

レオナルドが壁の中に描いた仮想空間を、計算して3D図に起こすと、幅一〇・三メートルに対し、奥行きはほぼ倍の二〇・四メートルもある細長い部屋になります（図57）。ちなみにこの仮想空間の部屋の高さは六・九メートルになり、使徒たちの身長も三メートルほどになります。しかもこの架空の部屋の手前端に、部屋の横幅いっぱいの食卓がドンと置かれ、その片側だけに一三名全員が詰めて座るという不自然さ。部屋の奥の壁には三つ窓があるだけで、部屋の空間の大部分は何も無いがらんどうです。

しかし、もしこの部屋の奥行きが半分しかなければ、窓はもっと大きく描かれます。そうなると、キリストの頭部の周囲の明るい開口部分が広くなります。おわかりでしょうか、そうなると、キリストの頭部のまわりをまるで後光のように取り巻いている光の効果が失われてしまうのです。ここにも、部屋の奇妙な形と配置が、レオナルドによって実は綿密に計算されたものであることがわかります。劇的な瞬間を描き出しながらも、全体としての秩序を失わない——。この両立性が本作品の真骨頂なのです。

技法上の苦悩

しかし作品は、制作直後から徐々に傷み始めてしまいます。レオナルドが亡くなる二年前にあたる一五一七年の末に、ナポリのルイージ・ダラゴーナ枢機卿《すうききよう》宛てに秘書アントニオ・デ・ベアティスが書き送った記録があります。「今日アンボワーズにいるルナルド・ヴィンチ氏が壁に描いた晩餐は、この上なく素晴らしいのですが、壁に発生している黴《かび》か、別の不注意かなにかで壊れ始めております」。文中に黴が原因かと書かれているので、壁画が黒く変色していたことが想像できます。同様に、ヴァザーリら後の記録者たちも、この作品がすでに哀れな状態にあったことを伝えています。

こうなった主たる原因は、レオナルド自身による技法の選択にあります。当時、壁画には「ブオン・フレスコ」と呼ばれる技法が一般的に用いられていました。この技法では、壁体の上にまず薄く漆喰《しっくい》（正確には砂と石灰を混ぜた「マルタ」）を塗ります。壁体の素材とほとんど同じものである漆喰が乾けば、壁体とほぼ一体化します。もちろん漆喰を塗られる表面は乾いているので、あらたに塗られた漆喰層との間に非連続面ができ、これが剥落の原因となるので、あらかじめ壁面を槌《つち》で叩《たた》いて傷をつけ、わざと凸凹を作ってから漆喰を載せたりする方法もよくとられています。

図58　修復前の〈最後の晩餐〉

上から塗った漆喰が完全に乾く前に、カルトン（転写用の原寸大下絵を描いた紙、カルトーネ）から下絵を転写します。この際、カルトンに描かれた輪郭線に沿って小さな孔をあけ、その上から炭などの黒い粉を吹きつけます（スポルヴェロ転写法）。作業が終わればカルトンを外しますが、漆喰の上には点々と黒い粉が付着しています。これらを線で繋《つな》げて輪郭線を描くのです。あるいは手っ取り早く、カルトンの上から、細い鉄筆で押し描くことで輪郭線を写す方法もあります（インチジオーネ転写法）。後者は肉眼で容易に確認できます。もちろん、下絵を一切用いず、生乾きの漆喰に直接下絵を描く画家もいました。

いずれの方法によっても、下絵はシノーピアという赤色顔料によって描かれることが多かったため、描かれた下絵自体もシノピアと呼ばれます。イタリアでは修復の際などにフレスコ画を剝がして（ストラッポと呼びます）、下から出てきたシノピアを別個に保存している例も多くあります。

こうして下絵ができれば、さらにその上から非常に薄く漆喰を塗ります。これが乾く前に、水で溶いた顔料を筆で急いで塗っていきます。顔料は漆喰に染み込み、乾くと顔料は完全に漆喰層と一体化しています。この方法で描かれた壁画は非常に堅牢《けんろう》で、そのため「ブオン（良い／正当な）・フレスコ（乾いていない）」技法と呼ばれます。洗浄にあたっても、水を含ませたスポンジで表面をゴシゴシ拭うような光景を今でも時おり目にするほどです。

しかしこの技法をレオナルドがそのまま用いなかったわけは、この技法は「急いで描かねばならない」という制約にあります。なにしろ漆喰が乾くまでが勝負なので、一日に描くと決めた範囲（これをジョルナータと呼びます）の漆喰を塗っては、その日のうちに描き終わらなければなりません。漆喰が乾いた後で、顔料に直接漆喰や膠《にかわ》を混ぜて塗っていく「セッコ

〈乾いた〉・フレスコ」という技法もありましたが、壁体と一体化するわけではないため強固さに欠けます。

私はしばしば見かけたことがあるのだが、（レオナルドは）よく朝早くにやってきて、足場に登る。〈最後の晩餐〉が高いところにあるためだ。そして日が出てから暮れるまで、まったく筆をやすめることなく、飲食も忘れて描き続けることがあった。かと思えば、二、三日あるいは四日たってからようやく筆を入れ、それからそのまま一、二時間そこにとどまるのだが、ただ眺めるだけで、描いた人物像を観ながらじっと考え込んだままでいるのだった。あるいは（……）まっすぐ（サンタ・マリア・デッレ・）グラーツィエへやってきて、足場に登って人物像にひと筆ふた筆入れたかと思うと、そのまま去ってどこかへ行ってしまうのだ。

——マッテオ・バンデッロ、『小説集』（一五五四／一五七三年）より

この手記を書いたのは、サンタ・マリア・デッレ・グラーツィエ教会の修道院長ヴィンチェンツォ・バンデッロの甥《おい》にあたるマッテオ・バンデッロです。一四八五年生まれの彼は長

じて小説家となり、代表作となった一五五四年の『小説集』は、フランス語訳された後に英語版まで出版される成功をおさめています。ちなみにそのおよそ四〇年後にシェイクスピアが世に出すロメオとジュリエットの悲劇は、実はバンデッロの英訳本をタネ本にしています。

レオナルドが壁画を描いていた頃、マッテオはまだ一二歳かそこらの少年でしたが、そこで目にした光景を、数十年後に記憶をたどって書き残したのが引用した文章です。じっくりと熟慮しながら少しずつ筆を入れていくレオナルドの描き方は、まるでアクリル絵具や油彩を用いる近代以降の画家のようで、およそフレスコ画のスタイルではありません。この記述からだけでも、レオナルドの描き方がフレスコ画にはまったく向いていないことは明らかです。

レオナルドは、自分のスタイルに合う技法を模索します。〈最後の晩餐〉にせよ、次章で紹介する〈アンギアーリの戦い〉にせよ、彼の作品の悲劇のいくつかは、彼自身による技法選択の失敗が原因です。

主として板絵を描く際に用いられるテンペラ技法も、古くから広く使われていました。こちらはなんらかの溶剤を顔料に混ぜて塗り、乾くのを待つ方法すべてを指しますが、溶剤には主に卵が用いられていました。時間をかけて描くことができますが、壁画のためのものではありません。ちなみに油絵は読んで字のごとく溶剤に油(乾性油)を用いるもので、テンペラの一種と言えます。この技法では乾燥というより酸化することによって顔料を固着させるので、乾くまでに時間がかかり、それだけ何度も塗り直しがききます。混色も楽で透明感もありますが、そのかわりに時間が経《た》つにつれて比較的変色しやすい性質を持っています。

油彩技法は中世にすでに知られてはいましたが、爆発的に進化したのはルネサンス時代のネーデルラント(現在のオランダ・ベルギー地域)においてです。イタリアへはネーデルラントから持ち込まれた作品を介して広まり、アントネッロ・ダ・メッシーナのように、いちはやく採り入れる画家も現れました(ヴァザーリによれば、この画家がイタリアでの油彩画の始祖とされています)。

レオナルドの時代にも油彩の実用化は始まっていたのですが、北方の技法そのままではなく、油と卵を両方用いる折衷型のテンペラをレオナルドも採用しています。板絵にはこの方法でも良いのですが、レオナルドは壁画へもこの技法を用いようとしました。この方法であれば、たしかに時間的制約は受けません。さらに彼は顔料を壁面にのせやすくするため、そして発色を良くするためにも、鉛白による下塗り層を支持体(壁)と顔料層との間に塗っています。この層はしかし、下のマルタ層との間に一種の断続面を作り出し、湿気を閉じ込める作用も引き起こしてしまいました。カラッとしたローマ以南と異なり、ミラノのある北イタリアの冬の湿気はかなりのものです。気を抜くと、たちまち石壁の漆喰表面に黴がはえます。〈最後の晩餐〉も例外ではありませんでした。

運の悪いことに、壁画が描かれた食堂の裏には厨房《ちゆうぼう》がありました。そのため、壁体自体の湿度が高くなります。おまけに、一六五二年には教会自身の手で絵の真下に扉があけられてしまいました。キリストの足先もこの時に失われ、これ以降は厨房の湿気が直接壁画にあたる結果となりました。そのため、真っ黒な黴が全面を覆いはじめ、顔料層を支持体から持ち上げ、一層の剝離をひきおこしてしまいました（図59）。

たとえば使徒ピリポ（フィリポ）の頭部デッサン（図60）と、実際の〈最後の晩餐〉の同聖人を比較すると悲しくなります。デッサンでの、あまりに繊細で美しく優美なピリポに対し、壁画のピリポは硬く厚ぼったく、深みもなく歪《ゆが》んでいます。最新かつ最良の修復の後だけに、本来の作品の状態を取り戻すことなどもう不可能だとの宣告に等しく、私たちは長年の悲劇の時間で失われてしまったもののあまりの大きさを知るのです。

作品の受難の歴史

図59（右）〈最後の晩餐〉福音書記者ヨハネの頭部（修復後）　図60（左）　レオナルド・ダ・ヴィンチ、〈最後の晩餐〉ピリポの頭部の準備素描、1495年頃、共にウィンザー城、王立図書館　RL 12551

作品は四年ほどで仕上げられ、公開されてかなりの評判をよびました。途中、あまりの筆の遅さに、ルドヴィコが何度も画家をせかしたりしてはいますが、レオナルドにしては異例の速さです。この作品によって、レオナルドは画家としての正当な評価を初めて獲得します。すでに述べたように、バンデッロは、晩餐図を披露しているレオナルドに報酬の額を尋ね、そのあまりの高額さに枢機卿が不機嫌になったエピソードも伝えています。さらに、ミラノはその後ほどなくフランス軍の手に落ちますが、ここを訪れたフランス王ルイ一二世もこの壁画を観ていたく感動し、壁から剥がして自国へ持ち帰ることはできないか検討したほどです。レオナルドの弟子を含む何人かの画家たちによって模写

図61　ジャンピエトリーノに帰属、レオナルド・ダ・ヴィンチに基づく、〈最後の晩餐〉模写、1515年頃、カンヴァスに油彩、302×785 cm、ロンドン、王立美術アカデミー、（オックスフォード、マグダレン・カレッジに寄託展示）

が数点制作され、そのイメージは後にタペストリーや版画となって広く流布《るふ》しました。フランス王フランソワ一世も感動し、ヴァザーリが伝説にし、後にはゲーテが称揚し、ナポレオンが敬意を払いました。

レオナルデスキたちによる模写も、マルコ・ドッジョーノの工房やチェーザレ・ダ・セストに帰属される作品など、いくつか伝えられています。そのなかで、ジャンピエトリーノによると伝えられている模写（図61）は、もともとパヴィアのチェルトーザに架けられていたことが、一六二六年にバルトロメオ・サネーゼによって記録されています。両端が狭められ、上部も大幅に切断されてしまったため、ずいぶんと横に細長い画面になっています。

この模写が描かれた時点では、食卓の下に穿《うが》たれる開口部がまだ無いので、キリストの両足が描かれています。食卓の上に並んだ皿やグラス、パンのもとの配置がよくわかるかわりに、テーブルクロスに施された青糸による刺《し》繍《しゅう》は省略されています。また、修復時には後世の加筆による赤いツタ模様で覆われていたタペストリーが、もとは様々な色の花柄だったことがわかるなど、オリジナル作品では失われた最初の状態を想像するうえで貴重です。

一八世紀に入ると作品の状態はいよいよひどく、例えば一七二〇年のイギリスのリチャードソンの報告によれば、特に画面左側の使徒たちの部分にかなり絵具層の剝落がみられます。また同じ一八世紀の末にナポレオンがミラノを支配した際、彼自身は晩餐に驚嘆し称賛したものの、彼の軍隊はこの部屋を厩舎《きゅうしゃ》に用いました。何も知らぬフランス兵たちは壁画に敬意を払うどころか、石や煉瓦《れんが》を投げ当てて遊び、あまつさえ使徒たちの目を槍《やり》で突くような野蛮な行為まで繰り返しました。

さらに、現代の定義からはほど遠い「修復」が追い打ちをかけます。何度となくおこなわれた修復では、気ままな加筆が繰り返されました。原画では開いていた使徒たちの口が閉じられ、指の位置や顔の向きさえ変えられました。保存のためにと、ひび割れの間に樹脂が流し込まれ、それを浸透させるために赤く熱せられた鉄のローラーが画面に直接おしあてられたことさえあります。

第二次世界大戦末期の一九四三年八月一五日には、連合軍による爆撃がミラノを襲います(図62)。修道士たちはせめて壁画だけでも守ろうと、土嚢《どのう》をうずたかく積み上げて壁面を両

図62　爆撃をうけた直後のサンタ・マリア・デッレ・グラーツィエ教会修道院旧食堂。土嚢で覆われた正面奥の壁面が〈最後の晩餐〉

側から覆いました。爆弾ははたして教会を直撃し、食堂の天井と片側の東壁を粉々にします。しかし幸運なことに、〈最後の晩餐〉と、その向かいにあるモントルファーノの〈キリストの磔刑《たっけい》〉は難を逃れました。もし落下点があと二メートルほど北側にずれていたら、この傑作は跡形も無くなっています。しかし生き残ったとはいえ、天井が再びかけられるまでの数年間、壁画は今度は雨と風と雪による容赦ない攻撃を受け続けました。どうでしょう、幾度の危機をくぐりぬけ、作品がいまだに残っていること自体が、ひとつの奇跡に思えるのではないでしょうか。

一九九九年、最新の技術と細心の注意を払った二〇年間にわたる修復が終わりました。下に何も残っていない部分をのぞき、後世の加筆はほぼすべて取り除かれました。制作当時の状態からはほど遠いものの、作品は当初の色彩をある程度取り戻すことに成功しています。私たちにできることは、この作品を未来へと残すことと、失われてできた空隙を想像力で埋めて味わうことなのです。

第六章　放浪の日々

ミラノを後にしたレオナルドは、北イタリアのマントヴァやヴェネツィアをまわって、フィレンツェへと戻ります。小国ながら洗練された宮廷文化をほこっていたマントヴァでは、侯妃かつ才女であったイザベッラ・デステの肖像デッサンを描いています（図63）。腕の位置は不出来で弟子とおぼしき手も入っていて、おまけに保存状態も悪いのですが、気品あふれるその姿はモデルの知性と教養の高さをよく描き出しています。

イザベッラはかつてレオナルドが描いたチェチリア・ガッレラーニの肖像（これが〈白貂《しろてん》を抱く貴婦人〉〔口絵9〕です）を見たことがあって、自分も描いてほしくなったのです。デッサンは描いてもらいましたが、手に入れたいのはあくまでも彩色された肖像画なので、イザベッラはレオナルドがマントヴァを去ってからも、何度も催促しています。しかしレオナルドは、なかなか彩色肖像画に着手しようとしません。彼はイザベッラからの矢継ぎ早の催促の手紙もことごとく無視し続けます。後に、イザベッラの代理でフィレンツェの工房まで催促しに来たピエトロ・ダ・ノヴェッラーラ神父が、イザベッラに宛てて送った報告書簡が残っています。少し長くなりますが、レオナルドの後半生の制作スタイルがよくわかる貴重な資料なので引用しておきましょう。

図63　レオナルド・ダ・ヴィンチ、〈イザベッラ・デステの横顔のデッサン〉、1500年、61×46.5 cm、パリ、ルーヴル美術館

レオナルドは、まるでその日暮らしのように、不規則で定まっていない日々を過ごしています。フィレンツェでは、カルトンにスケッチを一点描いたきりです。（引用者注：ここから、そのスケッチが明らかに〈糸巻きの聖母〉（口絵12）であることがわかる記述が続きます）……この下絵はまだ完成していません。二人の弟子が手掛けている肖像画に時おり手を入れるほかは、彼はなにもしていません。幾何学に没頭していて、絵筆を取りたがりません。（一五〇一年四月三日の書

簡）

……要するに、数学の実験で彼は描くことに気が向かず、絵筆を持つことに耐えられないのです。（一五〇一年四月一四日の書簡）

なかば諦めたような口調の悲観的な手紙からは、レオナルドが数学などに没頭するあまり、すでに絵画への情熱を失っていたことがわかります。そして彼と工房の弟子たちとの協働作業のスタイルがわかる点も貴重です。つまり下絵をレオナルドが描き、彩色はおおよそ弟子にやらせつつ、自らは監督し修正加筆をするなどして仕上げていくやり方です。おそらく彼の後半の制作活動は、このスタイルが基本となっていたと思われます。

先述した通り、現在のマンガのスタジオを想像すると理解しやすいと思います。筆者は職業柄よく「これはレオナルド作ですか？」という質問をうけるのですが、マンガスタジオから生み出された作品があくまで漫画家個人名で発表されるのと同じ意味では、レオナルド工房から出たものをすべて「レオナルド作」と呼んでも問題はないわけです。

ただ、問題となるのは彼の「関与度」です。たとえば第一フィレンツェ時代であれば、ヴエロッキオ工房にいる間は一作品に皆であたることがあたりまえです。しかし親方資格取得後、自らの工房を運営するようになると、まだ弟子を何人も抱えられる経済的状況にはありませんから、少なくとも個人的にうけた注文、たとえば〈ブノワの聖母〉や〈ジネヴラ・デ・ベンチ〉のような作品は、下絵から仕上げまで個人でほぼすべてを仕上げていると考えるのが理に叶《かな》っています。そしてミラノ宮廷時代になると、〈岩窟の聖母〉のように現地の工房と協働であたるようになります。一方で、パトロンの愛人の肖像画である〈白貂を抱く貴婦人〉などは、サイズ的にも本人の関与度が高いはずです。

その後、ミラノを離れて以降は、イザベッラへの報告書簡が示す通り、明らかに関与度が低くなります。そのため筆者はこの時期の作品には「レオナルドと工房」という表記をつけることを基本としています。しかしことはそう単純でもなく、〈糸巻きの聖母〉のように、フランス王の秘書官からの依頼、あるいはフランス王の妻からの注文である可能性が高い〈サルヴァトール・ムンディ〉（口絵16）が、注文主たちの重要性が高いにもかかわらず本人の関与度が低いのに対し、明らかに最初は一商人からの依頼だった〈ラ・ジョコンダ（モナ・リザ）〉には、本人以外の関与がほとんど認められないなど、不可思議なことがかなりあるのです。

ついでに余計なことを書きますが、筆者は以上のような考えにより、誰の作品かという帰属問題を抱える絵画について「これはレオナルドですね」とすっきり言わないため、展覧会やテレビの世界で監修や出演から外されたことがあります。インタビューをうけて収録までされたコメントが使われなかった、という経験もあります。レオナルド作となると市場価格が跳ね上がり、ニュース性もあるので仕方のないことなのですが。

それにしても、イザベッラは小国とはいえ一国の実質的な君主で、レオナルドは一宿一飯の恩もあるはずです。それなのに催促や嘆願をことごとく無視するのは、それ以前の時代の芸術家には考えられないことです。イザベッラとの一連の出来事は、それまでただの一職人とみなされていた画家と、大パトロンたちとの力関係が、彼ら三巨匠の時代に大きく変化したことを教えてくれます。

風雲急を告げる半島情勢

レオナルドがヴェネツィアでやったことはあまりよくわかっていません。ヴェネツィア派の巨匠ジョルジョーネに会ったとヴァザーリは書いていますが、これに関しては疑問も提出されています。また手稿には、トルコ軍がイタリアに入るときには必ず渡ることになる川を調査しなければならないと書かれているので、すでに軍事技師として名をあげていた彼に、ヴェネツィア共和国が助言を求め調査を依頼したのでしょう。海運強国ヴェネツィアは、地理的にトルコのイスラム勢力とぶつかる位置にあるので、かなり以前から防衛上の問題に直面していました。レオナルドもそのままかの地で活躍できる可能性を感じたかもしれませんが、ヴェネツィアは外交と商売の天才のような国ですから、レオナルドが滞在していた一五〇〇年春にトルコと協定を結んでしまいました。

久々に戻ってきたフィレンツェでは、七三歳になっていた父セル・ピエロがまだ健在でした。四八歳のレオナルドは、父の四番目の妻でまだ三〇代のルクレツィアと初めて会います。そしてこの時、生存中の異母弟妹、そしてその子ら（レオナルドにとっては甥姪《おいめい》）の何人かにも初めて会ったことでしょう。しかし長く腰を落ち着けることはなく、一五〇一年三月一〇日には、レオナルドはローマ近郊のティヴォリにまで足をのばして、ヴィッラ・アドリアーナ（ハドリアヌス帝の別荘）をみています。

さてローマは、教皇アレクサンデル六世の時代を迎えていました。スペイン系の彼は一四九二年の教皇選出選挙（コンクラーベといいます）で教皇に選ばれたのですが、権謀術数を駆使して勝利したことを誰もが知っているような人物でした。教皇庁もれっきとした独立国ですから、群雄割拠の時代には、信仰心の篤《あつ》さや人柄よりも、政治力・経済力・軍事力のいずれかに秀でた人物が求められたのです。それぞれ、アレクサンデル六世（政治力）、レオ一〇世（経済力）、ユリウス二世（軍事力）の三人が典型例です。

ちなみに一四九二年にはフィレンツェの統治者イル・マニフィコが亡くなり、またジェノヴァ人の航海者コロンブス（クリストーフォロ・コロンボ）がサン・サルバドル島に到達しており、その後のイタリアの運命が大きく変わっていくきっかけとなった年でした。というのも、この年に幕を開ける大航海時代は、やがて経済活動の重心が地中海から大西洋へと移ることに繋《つな》がり、結果的にイタリアの斜陽の主因となってしまうからです。

アレクサンデル六世には、生涯独身の聖職者なのに子供がいました。息子チェーザレ・ボルジアは若くして頭角をあらわし、庶子ながら父の懐刀として教皇軍を率いていました。軍事の天才であり、イタリア統一という高い理想を掲げながらも、手段を選ばない冷酷さを発揮するピカレスクロマンの主人公のような人物で、塩野《しおの》七生《ななみ》の小説や惣領《そうりょう》冬実《ふゆみ》の漫画によって日本でも高い人気をほこっています。

教皇軍は電光石火の進軍を続け、一五〇一年春にはイタリア北東部のファエンツァを落とし、ロマーニャ州全域をほぼ手中にします。翌一五〇二年の三月にはウルビーノ（ラファエッロの生地です）を占領。そのような彼のもとに、軍事技師がひとりあらたに加わります。それがレオナルドです。

転戦の日々

レオナルドの転戦の日々が続きます。ある時はピオンビーノという港町にいて、要塞の強化にたずさわっています。またある時にはイモラという小さな街にいるのですが、ここには頑丈な城壁と四つの塔を持つ堅固な要塞があったので、レオナルドは築城建築家としてのノウハウを吸収しようと調査をしています。このようにレオナルドは領国中をまわる必要があったので、どの街にでも自由に出入りできるよう、チェーザレから一五〇二年八月一八日付けで通行許可証が交付されています。ちなみに許可証内での肩書は「建築家および技師」となっています。

イモラでは、まるで空から見たような市街地図も作成しています（図64）。この街は五〇〇年前と基本構造がまったく変わっておらず、これを今日の衛星写真と重ねてみると、驚くほどピタリと一致します。飛行機などなかった時代に、これほど正確な地図を作るのは容易ではありません。

彼の手稿には、地図作成のために開発された距離測定車が描かれています（図65）。二タイプ描かれており、手押し車のようにこれらを曳《ひ》いて歩くと、上部の回転盤がまわります。そして一定距離進むごとに、小石がひとつずつ小箱に落ちてたまる仕組みになっています。日本が同じ構造のものを開発するのは間宮林蔵のころ（一八〇〇年代前半）ですから、レオナルドの先進性がわかります。

　地形の正確な把握は軍事戦略上とても重要です。イモラの地図もあくまでも軍事用なので、レオナルドは地図に着色を施し、河川は青、住宅部分は赤茶など、一目で分かるように工夫しています。

　地図を作成するためには、当然ながらより高いところから眺める方が良いので、魔物が棲《す》む聖域としてあまり人が立ち入ることのなかった険しい山地にもレオナルド

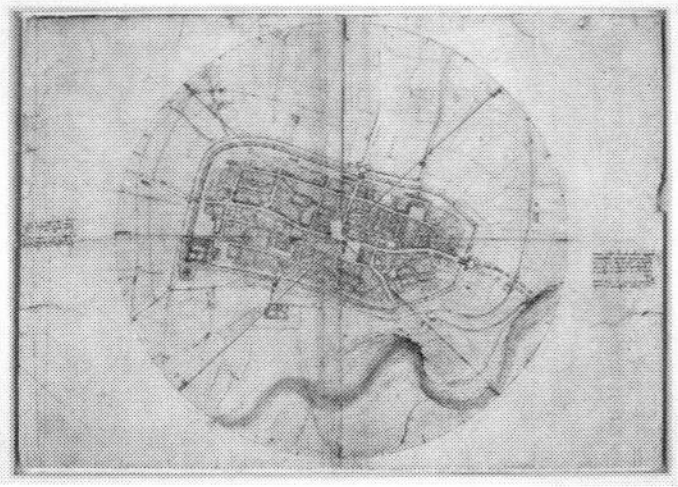

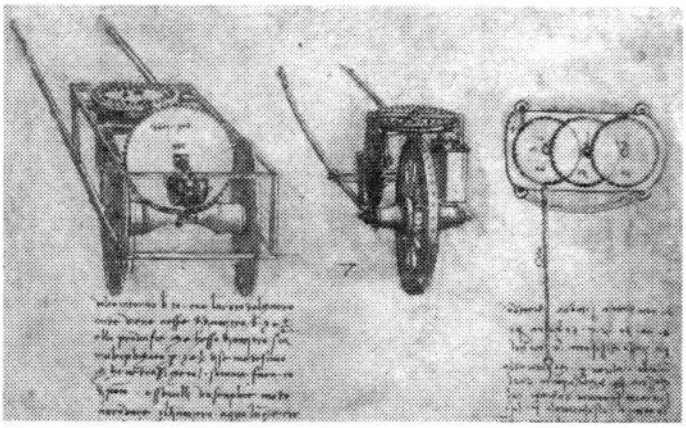

図64（上）　レオナルド・ダ・ヴィンチ、イモラの地図、1502年、ウィンザー城、王立図書館RL 12284　図65（下）　レオナルド・ダ・ヴィンチ、距離測定車、『アトランティコ手稿』、f. 1br.

図66　レオナルド・ダ・ヴィンチ、雪山の風景、1511年頃か、ウィンザー城、王立図書館　RL 12410

は何度も登っています。初めは任務のためという必要に迫られて始められた登山ですが、いつしかそれ自体が目的となり、そこで目にする自然へと関心は移っていきます。こうして彼は、純粋な意味での最初の登山家のひとりとなり、山の上から描かれた最初の山岳風景を残しました（図66）。

勢いのあったチェーザレの幕舎には、各国から使節がやってきます。そのおかげでレオナルドはニッコロ・マキャヴェッリとも知り合います。マキャヴェッリはフィレンツェ共和国政府のナンバー2の要職にあり、イタリア諸国が採用している傭兵《ようへい》隊《たい》システムの脆弱性《ぜいじゃくせい》などを常々訴えており、チェーザレと会って深く感銘をうけています。共和政の理念に逆らうかのように、強い君主像を支持するようになったマキャヴェッリは、後に著すことになる『君主論』の中で、理想の君主のモデルとしてチェーザレを採り上げています。

レオナルドが後にチェーザレ軍を離れてフィレンツェに戻ったとき、彼とマキャヴェッリはすぐさまフィレンツェ共和国軍の対ピサ戦にむけて協力しています。貿易を経済の柱とするフィレンツェ共和国は、フランス王の介入によって失っていたピサを取り戻し、海への出口を確保する必要がありました。そのため一五〇三年にフィレンツェが再びピサと戦端を開くと、レオナルドはさっそくピサ周辺の地図を示しながら、アルノ川の流れを変えてピサを孤立させる荒唐無稽な大計画を提案しています。軍事上の必要性から始まった地図製作は、いつしかレオナルドの数多い得意分野のひとつとなっていたのです。

また、チェーザレのもとにはトルコからの使節まで訪れており、レオナルドの東方への憧憬を刺激したに違いありません。レオナルドの手稿には、彼らから聞いた話や、外交官で著述家の友人ベネデット・デイらがもたらす東方の情報をもとに書いたと思われる東方旅行記がいくつか残されています。そのうちのひとつは、アルメニア地方を舞台とする小説の構想として、川の氾濫と都市の滅亡、山崩れや雪崩といった章立てが書かれています。かと思えば、リビア砂漠に現れたひとりの巨人が人々を踏みつぶすようなエピソードも記されています。こうした空想旅行記は、章立てもあって明らかに出版を意図して着手されたのですが、彼の他の多くの出版計画と同様に、ついぞ完成や出版の日の目をみることなく終わります。しかし、自然の偉大さと人間の無力さの対比は、後の終末論的な〈大洪水〉シリーズへとつながっていきます。

その後、チェーザレとの関係は一年足らずで突然終わります。両者ともこの件に関しては沈黙しており、理由はわかりません。チェーザレの運命は、レオナルドが一五〇三年二月頃に去ったあとの同年七月から暗転します。父アレクサンデル六世とともにマラリアかなにかによる高熱で倒れると、翌月にはそのまま父が亡くなります。後ろ盾を失ったチェーザレが病床に臥《ふ》せっている間に各地で反乱が起き始め、チェーザレはかつて父のライヴァルだった豪族ジュリアーノ・デッラ・ローヴェレと密約を結びます。教皇選出選挙でジュリアーノは勝利し、そのままユリウス二世として即位します。ところが、新教皇は約束を反故《ほご》にして反旗をひるがえし、チェーザレは虜囚の身となってしまいます。その後も何度か抵抗と捕縛を繰り返し、一五〇七年三月一二日、チェーザレは戦場の露と消えます。まだ三一歳の若さでした。

世紀の対決

こうして、レオナルドはふたたびフィレンツェに戻ってきます。すでに彼の名声は確立されており、たとえばラファエッロの父でウルビーノの宮廷画家だったジョヴァンニ・サンティは、『韻文年代記』のなかで、ペルジーノとともにレオナルドの名を挙げて「神のごとき画家」と讃《たた》えています（父の希望だったのでしょう、彼の死後ですが、少年ラファエッロはペルジーノに弟子入りし、さらに後にはレオナルドからも多くを学ぶことになります）。

レオナルドの名声を裏付けるようなエピソードを、ヴァザーリが記しています。レオナルドがサンティッシマ・アヌンツィアータ教会のために描いた「一枚の聖母と聖アンナ、キリストがいるカルトン」、つまり彩色されていない下絵の状態にすぎませんが、これが同教会で公開されると大評判となり、二日間ずっと見物客の列が絶えなかったと伝えています。作品の細部の描写なども記されていて、それを読むかぎり、これは今日ロンドンのナショナル・ギャラリーに残っている〈バーリントン・

図67　レオナルド・ダ・ヴィンチ、〈聖アンナと聖母子、洗礼者ヨハネ（バーリントン・ハウス・カルトン）〉、1500-02年頃、紙（カンヴァスに表装）に木炭、白チョーク、141.5×106.5 cm、ロンドン、ナショナル・ギャラリー

ハウス・カルトン〉（図67）やルーヴルにある〈聖アンナと聖母子〉（口絵15）とは微妙に異なるのですが、それらに共通する「三世代」主題の一環であることは確かです。

さてフランス軍の侵入騒ぎ以来、フィレンツェでは政情不安が続いていて、メディチ家が追放されて共和国政府が誕生していました（マキャヴェッリはこの使節としてチェーザレのところへ外交交渉に来たのです）。この当時フィレンツェに、レオナルドとミケランジェロ、ラファエッロといういわゆる「ルネサンスの三巨匠」が揃《そろ》います。

ミケランジェロはレオナルドの二三歳下、ラファエッロはそこからさらに八歳も下なので、ひとくくりに三巨匠と言っても年齢にはかなり開きがあります。ただ、レオナルドはこれまで見てきたように遅咲きで、他のふたりは逆に早熟で、活躍した時期は結果的にかなり重なっています。

かつてイル・マニフィコのもとで可愛がられたミケランジェロは、ヴァチカンで大作〈サン・ピエトロのピエタ〉を発表し、鳴り物入りでフィレンツェに戻ってきます。そして共和国政府から依頼されて、有名な〈ダヴィデ〉（図68）を制作します。これをどこに置くのが良いか決めるためだけに、レオナルドやボッティチェッリら大物たちが集められたのですから、共和国にとっていかに〈ダヴィデ〉が重要だったかがわかります。実際に、若くして知恵と勇気だけで巨人ゴリアテを打ち倒すダヴィデに、共和国は大国に挟まれながらマンパワーだけでのしあがったフィレンツェ自身の姿を重ね合わせていたのです。

〈ダヴィデ〉をヴェッキオ宮殿の向かいにあるロッジャに置こうとするレオナルドたちの意見は、彫刻家本人の反対によってくつがえされ、最終的に政庁舎の入口横に置かれます（現在はレプリカが立っています）。両者は当代を代表する二大巨匠としてライヴァル関係に置かれ、続いて政庁舎内の「五百人広間」（図69）の壁画制作で対決させられることになります。

図68　ミケランジェロ・ブオナローティ、〈ダヴィデ〉、1501-04年、大理石、高さ434cm、フィレンツェ、アッカデミア美術館

どちらがどこの壁を担当したかには諸説ありますが、レオナルドの大壁画の中心場面が東壁の中央に描かれていたらしきことはほぼ確実です。その後、これまで何度かその名が出てきた万能人ヴァザーリの工房によって、東西両壁がすべて壁画で覆われてしまいました。その下にレオナルドの下描きが残っているに違いないと穿孔《せんこう》調査までお

図69　ヴェッキオ宮殿内、現在の五百人広間（左＝西壁、右＝東壁）

こなわれましたが、芳しい結果は得られていません。

両者ともお題はフィレンツェの歴史にとって重要な戦いというもので、レオナルドはミラノに対し勝利した〈アンギアーリの戦い〉を選びます。彼にはヴェロッキオ工房とミラノの騎馬像計画で長く馬に取り組んできた経験があるので、軍馬がくんずほぐれつする躍動的な戦闘場面を選んだのです。残念ながら数点の準備素描以外には残っていないのですが、同時代の画家たちによる模写が数点残っているので（図70）、そのダイナミックな構成を想像することはできます。

遅れてやってきたミケランジェロは、すでに描き始められたレオナルドの準備稿を見て度肝を抜かれたのでしょう。彼は画題に〈カッシーナの戦い〉を選びます（図71）。対ピサの戦いの一エピソードなのですが、兵士たちが水浴していたところ、急襲の報を受けて大慌てで準備するという、なんとも勇ましさに欠ける場面です。しかし、レオナルドの隣で騎馬戦だけは避けようと考えたのでしょう。彼は自分の一番の強みである、筋骨隆々とした男性裸体の群れを描くことを選択したのです。

こうして始まった「世紀の対決」はしかし、ミケランジェロは教皇に呼び戻されて早々にフィレンツェを後にし、一方のレオナルドは技法の選択の失敗によって、苦心惨憺《さんたん》、またもや制作途中で放り出し、完成することなく終わりました。〈最後の晩餐《ばんさん》〉の章で見たように、レオナルドの制作スタイルには伝統的な壁画技法はまったく適さないので、彼はここでもエンカウスティックという古代から伝わる技法を参考に、独学で編み出した技法にトライし、失敗しています。

図70（上） ルーベンスほか、レオナルド・ダ・ヴィンチの失われた壁画〈アンギアーリの戦い〉に基づく、制作年不詳（ルーベンスによる加筆は1600年以降）、パリ、ルーヴル美術館　図71（下） アリストーテレ・ダ・サンガッロ、ミケランジェロによる〈カッシーナの戦い〉カルトンの模写、1542年頃、ノーフォーク、ホルカム・ホール

一五〇五年六月六日金曜日、一三時の時報とともに、私は宮殿にて彩色を始めた。絵筆を置こうとしたまさにその時、天候が急変した。裁判の鐘が鳴り、人々に審議の席に着く

よう促した。カルトンは裂け、雨水が流れ込み、水をたたえた聖水盤が壊れたためだ。やがて天気は大荒れとなり、驚くような雨量が夕方まで続いた。あたりは夜のように真っ暗だった。
（『マドリッド手稿Ⅱ』より）

カルトンから壁面に転写した下絵に、着彩を始めたまさにその日に、運悪くフィレンツェが大嵐に襲われ、雨漏りの水によってカルトンと下絵が流れ落ちてしまいました。つくづく、作品を完成するための運だけは持っていない人なのです。

その面積の広さからみて、もし完成させていれば、レオナルド絵画の代表作となっていたと断言できます。本来の全体構想は、当時の類似作例とレオナルドの準備素描の類から想像するしかありませんが（図72）、その壮大さを夢想するだけでも楽しいものです。

図72　レオナルド・ダ・ヴィンチの〈アンギアーリの戦い〉の全体構想の想像図（構成：ペドレッティ案を参考に、池上英洋。作画：川口清香）

第七章　科学と思想

ミラノを離れて以降、レオナルドは画家よりも科学者としての色合いが濃くなります。ここでは、彼の科学と思想を概観してみましょう。

レオナルドが、ラテン語の素養がないために苦しんだことはすでに書きましたが、そのことで強烈なコンプレックスを抱いていたことがよくわかる書き込みがあります。「私が学者ではないことから、私を無学の人と貶《けな》すことができるとおこがましくも考える者がいるのはわかっている」（『アトランティコ手稿』より）。

また、絵画や彫刻などの美術よりも、詩と文学が最上位の芸術とみなされていたので、たとえばミケランジェロの弟子であるヴァザーリは、建築や絵画で多くの作品を精力的に発表した人ですが、『美術家列伝』を著して初めてミケランジェロから、これであなたも立派な芸術家の仲間入りをしたと褒められています。レオナルドの手稿のなかには、明らかに出版を意図した記述や本の章立ての構成案などが書かれていて、「無学の人」からの脱却をはかっていましたが、いずれも出版されることなく終わっています。

このように、アウトプットに関してはあまり精力的な人ではありませんでしたが、好奇心の強い彼は、インプットについては労を惜しみません。なにしろ彼は読書家です。手稿には、持っている本の覚え書きが三か所でてきます。まずは『トリヴルツィオ手稿』の、三〇代で書きとめたと思われる「ドナート、石について、プリニウス、算術書、モルガンテ」というリスト。このうち「ドナート」とは、四世紀のドナートゥスによるラテン語の文法書です。大プリニウスによる『博物誌』や、ルイージ・プルチによる叙事詩『大モルガンテ』といった教養や文学の書と一緒に、ラテン語文法書とアバコ（算盤《そろばん》の一種）の算術書が挙げられているわけです。どちらも初等教育でならうはずの教科なので、よい歳になっているレオナルドが必要にかられて入手したのでしょう。

その後、蔵書は加速度的に増えていき、『アトランティコ手稿』では四〇冊、そして五〇代で書かれた『マドリッド手稿』では一一六冊もの蔵書名が記されています。当時は今のような活版印刷技術がまだ普及しておらず、本を入手するには、手写本を買ったり、人から借りて手で書き写す作業が必要でした。そのため価格も今の自動車に匹敵するほど高く、一〇〇冊以上という数字は当時の一個人が持つ本の数としては圧倒的なものです。

彼にとって、教材は本だけではありません。古代ローマの時代に造られた名橋がヴェローナに残っていると耳にすれば、実際にその街まで行ってスケッチしたりもしています。そして彼の手稿には、これこれについては誰々が詳しいので聞きに行くこと、といった書き込みがいくつかあります。たとえば、「ジャン・ド・パリ」なる人物に「セッコ技法による彩色法」などを聞くように、といったメモです（『アトランティコ手稿』より）。この人物はフランスの宮廷画家ジャン・ペレアルのことで、実際に従軍してミラノに来ていました。レオナルドがちょうど〈最後の晩餐《ばんさん》〉をフレスコ技法を用いずに描いた直後であり、彼が最善の技法を模索していたことを思い起こさせます。芸術の中心地フィレンツェで修業したにもかかわらず、北方から来た油彩画についてもっと知りたいとの動機から、謙虚にフランスの画家に学ぶ姿勢をみせています。

彼はそうやって多くの同時代人から学んでいます。これまで名を挙げたパチョーリらのほかにも、地理学者トスカネッリや大砲技師ジャンニーノ、フィレンツェでギリシャ語の講義をしていたアルギュロプーロス、建築家のルカ・ファンチェッリとジョヴァンニ・アントニオ・アメーデオ、医師で数学者のジョヴァンニ・マルリアーノ、大学教授ファツィオ・カルダーノ、そして知識人バルダッサーレ・カスティリオーネらに学んでいます。一方で、ミラノ宮廷で重きをなしていたアンブロージオ・ダ・ヴァレーゼら占星術師たちのことは、あからさまに悪く書いています。

飛翔実験に見る近代性

彼の科学の多くが、軍事技師としての役目から発したものです。地図製作や登山についてはすでに述べましたが、同じ線上に有名な飛翔《ひしょう》実験があります。高い地点からみることが戦略上有利に働くことは明白なので、凧《たこ》やパラシュートは古くからあり、レオナルドもそれらを実験しています。次に、それなら鳥のように自ら上昇できる方が良いと考え、羽ばたくためのサポート器具をまず研究します（図73）。

しかし、うまくいきません。彼は鳥の飛行を丹念に観察し、さらに解剖までして翼の構造を調べる段階へと進みます。そこで、人間の胸の筋肉と鳥のそれとのあまりの違いに気づきます。おわかりだと思いますが、やはり彼の代表的な研究分野のひとつとなる解剖学も、もとを辿《たど》ればやはり軍事技師としての役目から来ているのです。

それではと、彼は人体のなかで最も筋力が強い脚を主たる動力に据えます。しかしこれでもやはりうまくいかないので、結局は上方から滑空するだけのグライダーへとプランを変更します（図74）。これならいけるとふんだのでしょう、広く告知して人を集め、人類最初の飛行実験をおこなう気でいました。「巨大な鳥の名をもつ山から、偉大な鳥が飛翔し、その名声が世界中を覆うだろう」（『鳥の飛翔に関する手稿』より）。巨大な鳥の名をもつ山とは、フィレンツェ近郊にあるチェチェリ（白鳥）山のことです。

しかし、彼のグライダーはおそらく落下して失敗に終わったのでしょう。レオナルドはその後一切この件に関して口をつぐんでしまいますが、一六世紀のジローラモ・カルダーノは、レオナルドの友人で数学者だった父ファツィオに聞いたのか、一五五〇年に出版した本のなかで、レオナルドは「試みたが、失敗に終わった」と書いています。

五〇〇年も前の人間が空を飛ぼうとするなどあまりにも突飛すぎて、私たちはレオナルドの飛翔実験を文字通りただの空想だったと思いがちです。しかし、彼はあくまで真

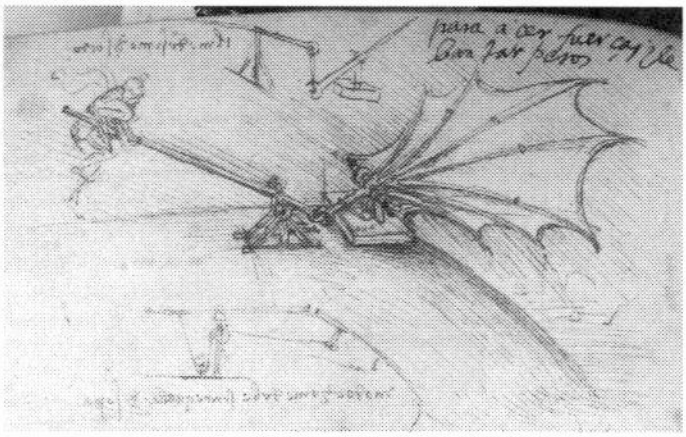

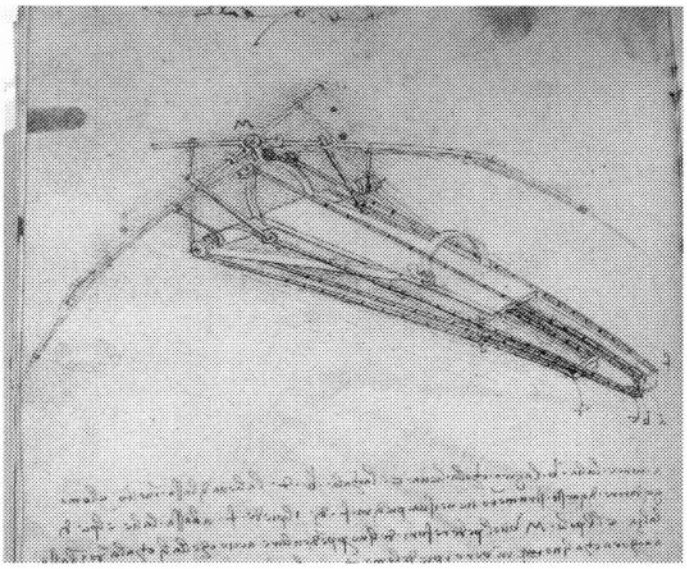

図 73（上）　レオナルド・ダ・ヴィンチ、人力による浮力の実験、『パリ手稿 B』、f. 88v.　図 74（下）　レオナルド・ダ・ヴィンチ、滑空用グライダー、『パリ手稿 B』、f. 74v.

剣です。飛翔の夢をみた者は彼以前にもいましたが、実際に鳥の複雑な飛び方を研究し、その筋肉の構造や動き方まで調べ、そこから工学分野における装置の開発へとつなげた人物はそれまでいませんでしたし、その後もライト兄弟が出てくる四〇〇年後まで現れません。失敗には終わりましたが、数世紀も後になってようやく実現する途方もない夢に挑み、観察と考察・実験と検討という一連のサイクルを実際に何度も繰り返した点に、科学史におけるレオナルドの偉大な試行錯誤の重要性があります。

科学的事実と聖書

狩猟のため山に登った猟師が、山中で貝殻を見つけます。村人たちは、これはノアの箱舟の証拠に違いないと考え、皆で喜びます。神が堕落した人類を罰するため、大雨を降らせて地上をすべて水に沈めた証拠だと。

おそらくこのような光景を何度か目にして、レオナルドは苦々しく思っていたに違いありません。なぜなら彼は、山に登った経験がそれまで何度もあるので、山中で貝殻の化石がいくつもの異なる層から出てくることを知っています（図75）。

「もし海から離れた山の上で今日貝殻を見つけたことを、洪水のせいだと言うなら、私は次のように答えよう」と、彼は書きます。レオナルドは堆積の知識があるので、一度しかなかったはずのノアの洪水なら、貝殻が出てくるのもひとつの地層だけのはずで、「今日目にするように何層かにきちんと分かれているはずがない」。

よほど腹に据えかねたのか、彼は同様の洪水伝説否定を手稿に何度か書いています。ノアの洪水の否定は、当時誰も疑ってはならない旧約聖書の内容の否定にほかならないので、非常に危険な行為にあたります。

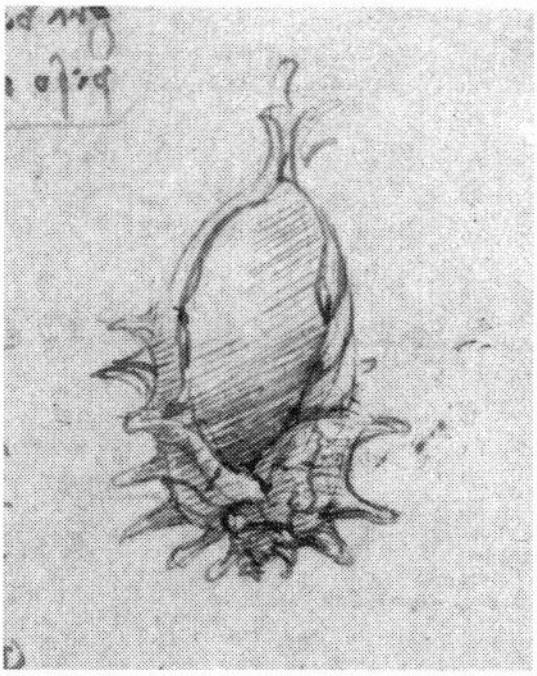
図75　レオナルド・ダ・ヴィンチ、貝殻のスケッチ、『アランデル手稿』、f. 33r.

レオナルドはそれまでの中世的なキリスト教の世界観を、科学的な考察によって次々に否定していきます。レオナルドの自然観察は宇宙におよび、それらは主として『レスター手稿』のなかに記録されています。レオナルドは、「月それ自体は光を放たない」ことを見抜き、太陽の光を反射することによって光ると断定しています（そのため月の表面には水があるとも想定しています）。

この位置関係を示すために、ここに掲載した紙葉中央の挿図では、鏡文字でそれぞれ「太陽、月、

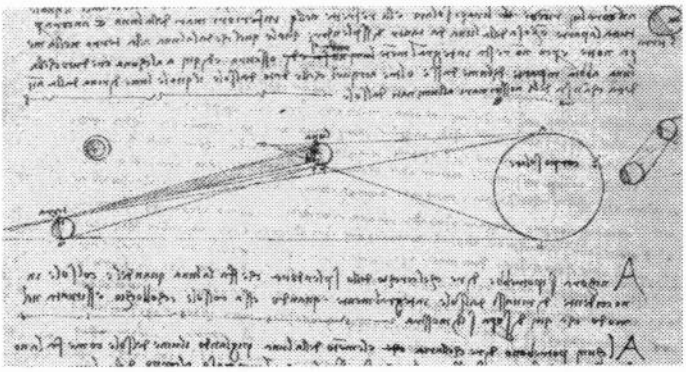

図76　レオナルド・ダ・ヴィンチ、天文学的考察、『レスター手稿』、f. 2r.

地球」と記された三つの「球体」が整然と並んでいます（図76）。それらが球体のフォルムをもっている点は重要です。明らかに出版を意識して清書されている『レスター手稿』は、今日の天文学からみれば誤りも多いのですが、トスカネッリによる地球球体説の提起から三〇年ほどしか経っていない点ひとつとっても画期的なものです。そのうえ、地球よりも太陽の方がはるかに大きく描かれている点は特に注目に値します。

もし出版されていたら、状勢によっては発禁処分を受けていたかもしれません。なにしろ、ガリレオ・ガリレイが、やっぱり地球は廻《まわ》っていませんと裁判で言うよう強要されるより、一〇〇年も前のことなのですから。

知識共有のための工夫

レオナルドの工業デザインにおける画期的な工夫が、「分解説明図」です。これは、全体の外観を示す図と、部品ごとに分解してその組み合わせ方を説明する図を同時に示す手法です。ここに掲載した図（図77）に示された装置は、装置の横にあるレバーを前後させて、二枚の回転盤を逆方向にまわし、バーが回転して荷物を上げたり下げたりするためのものです。つまり水平方向の前後運動を、鉛直方向の上下運動へと変換する装置です。画面左には全体図が、そしてその右には部品ごとに少しずつ距離をあけて描かれた分解図が示されています。この方法の優れた点は、隠れて見えない部品の形状などが明確になるだけでなく、用いられる全ての部品の形状と配置が容易に伝達される点にあります。レオナルドは自ら開発した機械を、他の人が見て同じものを作れるように工夫しているのです。

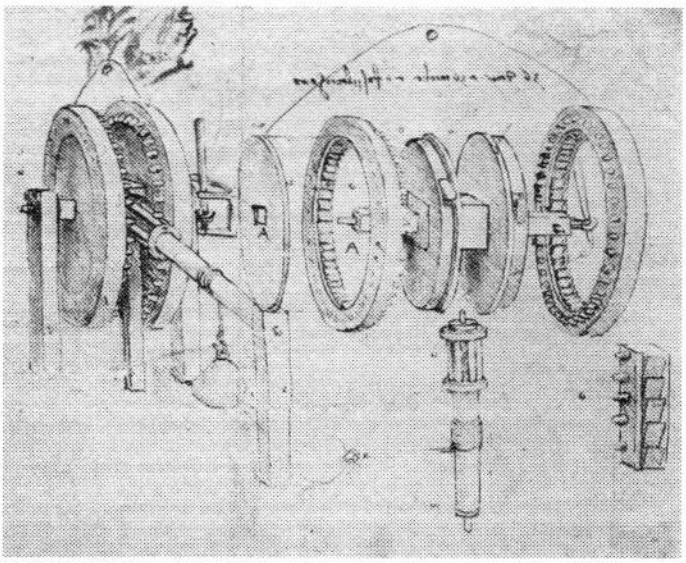

図77　レオナルド・ダ・ヴィンチ、往復運動から回転運動への変換器、『アトランティコ手稿』、f. 30v.

　この例のように、レオナルドは多くの機械を設計しているのですが、ただその裏には、私たちには想像もつかないような困難があります。というのも、現代であれば、日曜大工をしようと思えば道具でも釘《くぎ》や針金でも、ホームセンターで何でも揃《そろ》ってしまいます。しかしレオナルドの時代には、そうした道具や部品のほとんどを自作する必要がありました。そのため、発明や機械製作の前に、まず必要となる工作道具をなんとか効率よく入手しようとレオナルドは苦心しています。たとえば、彼はヤスリ

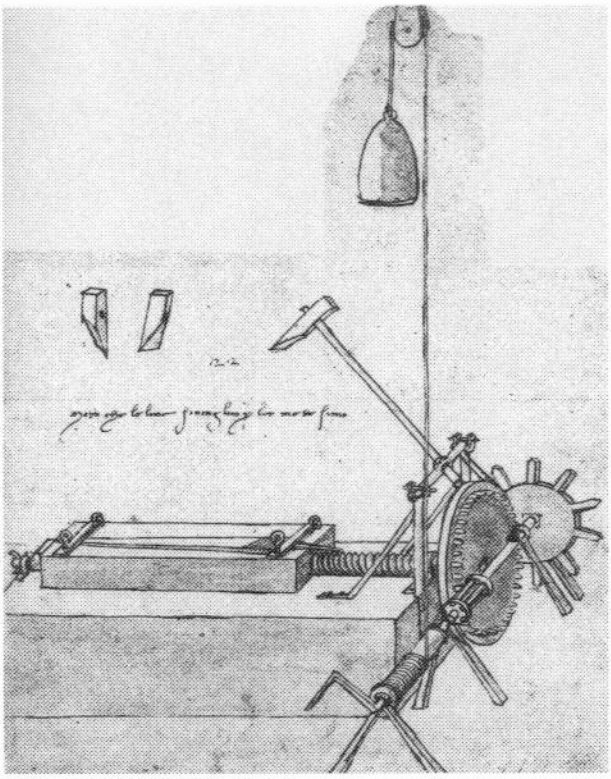

図78　レオナルド・ダ・ヴィンチ、ヤスリの自動製造機、『アトランティコ手稿』、f. 24r.

を作る工程を自動化しようと考えます（図78）。この機械では、錘《おもり》の重みによって軸が回転することで徐々にもちあげられるハンマーが、時折振り下ろされて鉄の板に凹みを刻みます。ヤスリが載っている台自体も軸の回転によって少しずつ近づくようになっているので、ハンマーが叩《たた》く位置が自動的にずれていきます。

自らが発見した新たな知識をできるだけ正確に他人に伝えようとする努力は、解剖学でも試みられています。

動画など無い時代に、三次元立体である人体を二次元平面で見せるには困難がともないます。たとえば上腕部を走る一本の筋が、腕の裏側のどこにつながっているのかを、ひとつの視点だけから描いた一枚のスケッチで理解させることはできません。そこでレオナルドは、少しずつ視点位置をずらしながら、まるで人体のまわりでカメラをぐるりと回転させたような複数視点によって描きます（図79）。こうすれば、たしかに立体的把握が可能となります。

ひとつの絵を描くだけでもかなりの作業ですから、これほどの数のスケッチを描くには、相当なスピードと根気が必要だったはずです。

彼は医学上多くのあらたな発見をします。たとえば、心臓がそれまで信じられていたような精気によってではなく、冠状動脈を流れる血液によって動かされていることを明らかにしています。三尖弁《さんせんべん》の構造など、彼が最初の報告者となったことは無数にあります。彼は人体の探求に熱中し、刑場や病院から譲り受けた三〇体以上の人体を解剖したと証言しています。

特に、若き医師マルカントニオ・デッラ・トッレと出会い、意気投合した一五一〇年頃はレオナルドの解剖学研究において最も実り多い時期となりました。彼らは共著による医学書の出版を計画し、レオナルドは本の章立てに関するメモも残しています。「この書は、ひとの妊娠から始めなければならない」といった具合です。しかし不運なことに、マルカントニオが一五一一年に二九歳の若さでペストで急逝

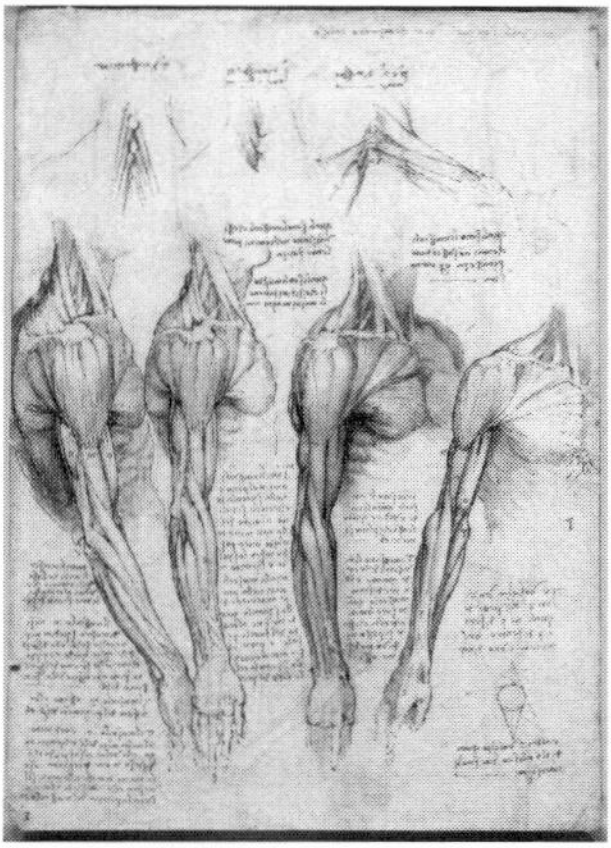

図79　レオナルド・ダ・ヴィンチ、胸から腕にかけての筋肉のスケッチ、ウィンザー城、王立図書館　RL 19008v.

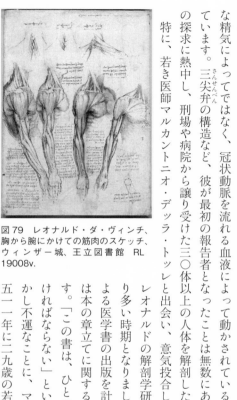

してしまいます。レオナルドの医学書計画は頓挫し、他の分野の出版計画と同様に、ここでも彼は成果を広く世に知らしめることなく終わりました。

もし彼の出版計画がいくつかでも実現していたなら、科学の発展にもっと大きな影響を与えていたでしょう。しかしレオナルドだけでなく、死後に手稿を託された弟子メルツィも、その長い残りの生涯で、絵画に関するメモだけを整理して『絵画論』として一冊にまとめただけで終わりました。

その後、よく知られているように、レオナルドの膨大な思考の集積は、その多くの部分が失われてしまいました。しかしその残された五〇〇〇枚ほどの手稿だけでも、世界中の研究者が取り組みながら、いまだにすべてが理解できたとはいえない状況にあります。ごく普通の人として生まれたひとりの人間が、六七年の生涯で辿《たど》り着いた地平のあまりの深遠さに、私たちはひとつの奇跡を見ています。私たちがそこから学べることは、まだまだ尽きないはずです。

第八章　作品を読み解く②

〈ラ・ジョコンダ（モナ・リザ）〉――レオナルドが辿り着いた世界観

〈最後の晩餐《ばんさん》〉と並ぶレオナルドの代表作で、疑いなく世界で最も有名な絵画である〈ラ・ジョコンダ（モナ・リザ）〉（口絵13）は、レオナルド独自の様式の頂点に位置し、縦八〇センチメートルほどの小画面のなかに彼の思想が盛り込まれた傑作です。また同時に、モデルなどに関する謎の多さで、これまでひとびとを惹《ひ》きつけてきました。

当初のモデルと目されるリザ・ゲラルディーニは、一四七九年六月一五日にフィレンツェで生まれました。三五歳だった父アントンマリーア・ゲラルディーニはキャンティ地方に所有地をもち、ワインの生産農家を経営していました。一方、リザの夫となるフランチェスコ・デル・ジョコンドは、一四六五年三月一九日にフィレンツェで繊維業を営む父バルトロメオの子として生まれ、リザより一四歳年上、レオナルドの一三歳年下にあたります。繊維業はフィレンツェ経済を支えた主幹産業で、その大アルテの構成員として、同家は共和国の政治にも関心を示し、一族から何人かのプリオーレ（行政官）を出しています。

フランチェスコの最初の妻だったカミッラ・ルチェッライは、二度目の出産時の産褥熱《さんじょくねつ》によって、わずか一八歳の若さで世を去ります。フランチェスコがすぐに迎えた二番目の妻がリザ・ゲラルディーニです。婚姻書類が一四九五年三月六日に作成されたこともわかっていて、夫は三〇歳直前、新妻はまだ一五歳の若さです。この時、フランチェスコは婚資の一部として、キャンティ地方の農地を手に入れています。

肖像画が描かれ始めた一五〇三年当時には、リザは二四歳前後になります。ちなみにフランチェスコは一五三八年に亡くなり、リザについては、その翌年の相続文書に載ったのを最後に消息が途絶えています。

証言者たち

二〇〇五年にハイデルベルク大学図書館で見つかった史料によると、一四七七年にボローニャで出版されたキケロ（紀元前一世紀の人物です）の『友人・家族宛書簡集』という初期印刷本の一冊に、本の所有者だったアゴスティーノ・ヴェスプッチがメモを書き込んでいました。彼はアメリカの名のもととなる航海者アメリゴ・ヴェスプッチのいとこにあたり、フィレンツェの役人で、レオナルドやマキャヴェッリとも交流がありました。そのなかのあるページに（図80）、古代の大画家アペレスに関する記述があるのですが、それに触発されたのでしょう、ヴェスプッチが欄外に「アペレス」と赤インクで書き、続けてセピア・インク（イカ墨）で、画家レオナルド・ダ・ヴィンチが現在絵を描いていること、そしてその一枚が「リザ・デル・ジョコンド」であること、さらに一五〇三年一〇月という日付も記しています。まずこの史料から、レオナルドが一五〇三年にリザ・デル・ジョコンドの肖像画を描いていることが裏付けられます。

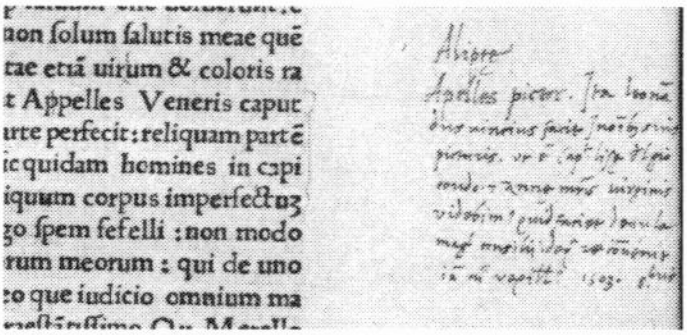
non solum salutis meae quē
tae etiā uirum & coloris ra
t Appelles Veneris caput
urte perfecit; reliquam partē
icquidam homines in capi
iquum corpus imperfectū
go spem fefelli; non modo
rum meorum: qui de uno
to que iudicio omnium ma

Apelles pictor.

図80　アゴスティーノ・ヴェスプッチによる、〈ラ・ジョコンダ〉に関するメモ。ハイデルベルク大学図書館

おそらく一五〇四年にフィレンツェにやって来たラファエッロは、師のペルジーノの弟弟子であるレオナルドと親交を結び、工房に出入りして、そこで見た〈レダと白鳥〉と〈ラ・ジョコンダ〉のスケッチをそれぞれ残しています。そのうち〈ラ・ジョコンダ〉を見て描いたと思われるスケッチ（図81）には、全体の構図、体と顔の向き、手の組み方、両端に円柱のあるバルコニーなど、〈ラ・ジョコンダ〉との共通点が多く、それらを同時に満たす肖像画が当時の定型ではないことからも、ラファエッロがレオナルドの作品を実際に見て描いたこともまた確かめられます。

図81　ラファエッロ・サンツィオ、若い女性のスケッチ、1504-05年頃、パリ、ルーヴル美術館

次なる証言は、一五一七年一〇月一〇日にアントニオ・デ・ベアティス（第五章で紹介）がクルー城館にレオナルドを訪ねた際の記録です。彼はレオナルドの工房で三点の作品を目にしていて、それらが〈若い洗礼者ヨハネ〉と〈聖アンナの膝に座った聖母子〉、そして〈故ジュリアーノ・デ・メディチの注文による、等身大のフィレンツェ婦人〉であることを記しています。

つまり現在ルーヴル美術館におさめられている三作品をデ・ベアティスは見たことになります。彼はレオナルドの工房で本人から直接説明を受けているので信憑性《しんぴょうせい》は高いはずですが、不思議なのは「ジュリアーノ・デ・メディチの注文」だとしている点です。ジュリアーノ・デ・メディチはレオナルドが晩年にローマに呼ばれた時のパトロンで、彼の早逝をうけてレオナルドがフランス宮廷に移ることになります。

フィレンツェ商人フランチェスコ・デル・ジョコンドの妻リザは、ジュリアーノ・デ・メディチの愛人などではありません。二人が縁戚関係にあるとする説もあるのですが、まだまだ不確実なものなので、今ここではあまりその議論には立ち入りません。

さて一五二四年三月に亡くなったサライの遺産目録（一五二五年四月二一日作成）には、〈聖アンナと聖母子〉や〈洗礼者ヨハネ〉などと並んで、〈ラ・ジョコンダ〉なる作品が登録されています。その評価額は一〇〇スクーディで、最も高い〈レダと白鳥〉の二〇〇スクーディの半額です。これがレオナルドの真筆なのか、あるいは質の高い工房作なのかは議論の対象となってきました。

また、『アノニモ・ガッディアーノ』は、レオナルドの作品として「ピエロ・フランチェスコ・デル・ジョコンドの肖像を描いた」と記しています。ピエロはリザの幼い子の名なので、年代的にもフランチェスコ・デル・ジョコンドの誤記でしょう。ここから、レオナルドが夫の肖像も描いたのだとする説も当然あるのですが、記憶違いや書き間違いがしばしばみられる同文書のこと、単純に夫と妻とを間違ったものと思われます。

続いて、ヴァザーリの『美術家列伝』には以下のとおり記述されています。「リオナルドはフランチェスコ・デル・ジョコンドのために妻のリザ夫人を描こうとし、四年間苦心して完成させずにいた。その作品は今はフォンテーヌブローのフランス王フランソワ一世のもとにある」。ヴァザーリが「今は〜にある」と書くのは、伝聞で得た情報にすぎず現物を見ていない時にしがちな表現です。それでも、現作品の指などに未完成の部分があることを考えれば、ヴァザーリの記述は参考に値します。ただ、この文の後に、現作品には無い「眉毛」が記されていたりします。これをもとに、現ルーヴル作品とは別の作品がリザ夫人の肖像画だったとする説は昔から何度も繰り返されてきました。

ヴァザーリは『美術家列伝』の初版を一五五〇年に出版し、かなり修正を加えた後に一五六八年に第二版を出しています。たとえばそこでは、自らの師アンドレア・デル・サルトの妻に対して初版で書いていた悪口を多少削ったりと、初版を出した後の読者の評価や意見を採り入れて修正をはかっています。ただ、リザ夫人の肖像画に関する部分には一切変更が加えられていません。初版出版時にフランチェスコ・デル・ジョコンドは世を去っていましたが、リザ本人はおそらく存命中で、少なくとも彼らの子どもたちはフィレンツェでおおいに活躍していました。彼らフィレンツェの富裕層を想定読者として出された『美術家列伝』で、せっかくリザ夫人の肖像画についての記述があるのに、初版刊行後に本人やその子どもたちが目を通さないはずがありません。にもかかわらず第二版で修正が無かったということは、つまりは修正の必要が無かったか、あるいはあるにしても些細《ささい》なものだったかです。加えて、ヴァザーリは第二版改訂前の一五六六年頃にメルツィにも取材しており、そこでも修正の要求がなかったわけです。つまり、レオナルドはリザ夫人の肖像画を描こうとして未完成のままにしており、それが一五五〇年頃の時点でフォンテーヌブロー宮にある――これらのことは事実として扱って良いと言えるでしょう。

一八世紀末に現作品はヴェルサイユ宮殿に入り、テュイルリー宮殿にいったん入ったのち、再びヴェルサイユ宮殿に移りました。その後、一九世紀の初頭にはナポレオンの寝室を飾っていたことがわかっており、その後ルーヴル美術館へと居を移しました。

現ルーヴル作品はリザ夫人の肖像画か？

マントヴァ侯爵夫人イザベッラ・デステのような大物からの催促を無視し続ける一方で、成功者とはいえ一介の商人の妻の肖像画を手掛けること、加えて、フランス王からの注文らしき作品にさえ、彩色段階をほとんど弟子にやらせているような状況です。そこでひとつ考えられるのは、リザ夫人の肖像画も、基本的には下絵のみで彩色を弟子にやらせていた可能性です。もちろんこの場合、レオナルドの真筆かつ単独作であることに疑いのない現ルーヴル作品は、リザ夫人を描いた肖像画ではないことになります。それなら、ほぼ同時期に自分で描いていた現ルーヴル作品は、もっと上位の顧客からの注文、つまりはヌムール公ジュリアーノ・デ・メディチやフランス王家などになります。

たとえ現ルーヴル作品がデル・ジョコンド家の注文だとしても、なぜ絵を送って支払いを受けていないのか、という根本的な疑問は残ったままです。また、結婚している家庭婦人を描く場合、女性モデルの指には通常であれば指輪がはめられるものなのですが、現作品にはそのようなものはありません。もちろん、指の部分が最も未完成の度合いが高いことも事実であり、そこまで描くことなく終わったとも考えられます。さらに、〈糸巻きの聖母〉や〈レダと白鳥〉などのケースに見られるように、人物像を先に描き、背景を後から描く手法はここでも採られたかもしれず、現作品の背景が人物肖像画のそれとしては極端に異質で幻想的な風景となっていることも、肖像画を納品させる必要がなくなったあと、好きなように描いて良い状況になったからこそだと考えることもできるでしょう。

さまざまな仮説があるのですが、ここでは、以上のことから、現時点で最も妥当と考えられるシナリオをひとつ考えてみましょう。これは、デ・ベアティスが目にした作品を「ジュリアーノの注文によるフィレンツェ婦人の肖像」と証言できるだけの要件を満たしています。

現ルーヴル作品は実はリザ夫人の肖像画ではなく、ジュリアーノの注文によるフィレンツェの婦人の肖像なのでしょう。この他に、リザ夫人を描いた別の作品があったのでしょう（こちらは消息不明か、レオナルド派とされる作品のどれかでしょう）。

上客であるパトロンのヌムール公ジュリアーノから、おそらく愛人であるフィレンツェ出身の女性の肖像を依頼され、ミラノ離脱後の第二フィレンツェ時代かローマ時代にこれに取り掛かります。しかしジュリアーノの死去か、その直前になされた結婚によって制作は中断。そのまま手もとに残った現作品は注文主を失ってしまいましたが、レオナルドはそのまま手もとに置いて、最後まで手をいれ続けます。これをデ・ベアティスが記録し、そのままフォンテーヌブロー宮殿を経て現在に至ったとのシナリオです。現ルーヴル作品が指輪をしていない点も、そもそも正妻ではないからという説明ができます。

この現ルーヴル作品は、ジュリアーノからの依頼が解消された時点から、肖像が実際の誰かである必要もなくなったので、「普遍的な女性の理想像」へと変化していったのでしょう。一方、リザ夫人の肖像画は、おそらくリザの次男の誕生を機に、夫フランチェスコから友人のレオナルドへ依頼されたもので、同時期の他の作品と同様に、おそらく工房の弟子が彩色を担当したのでしょう。作品は未完成のまま納品されなかったか、完成して納品されたかのどちらかになります。後者はともあれ、前者の場合、作品はその後消失したか、あるいは現存していてレオナルド派の作品とみなされているか（なにしろ工房の弟子が中心となって描かれたはずですから）のどちらかになります。

現ルーヴル作品をそれでもリザ夫人の肖像と説明するにはかなりの無理をしないといけませんが、これ以上モデル問題を続けることはやめておきましょう。そもそも、モデルが誰かという問題は、現にルーヴル美術館に掛けられている作品が放っている魅力と美的価値にはまったく関係のないことなのですから。

状態と様式

赤外線撮影によって、普段は顔料層の下にあって見ることのできない下絵の線をみることができます。とくに左手の人差し指と中指の部分にはペンティメント（描き直し、ためらい筆）をはっきりと確認できます（図82）。レオナルドが最後まで構図を決定するのに迷っていたことが想像できます。指輪は下絵においてもみることができません。繰り返しますが、モデルがリザ夫人であれば、その夫からの注文絵画なのに妻が指輪をしていないはずはありません。

表面の顔料層には深くこまかな亀裂がびっしりと刻まれています（図83）。これは展色剤に用いた油の含有率が高すぎたことが主原因とみられています。同様の特徴を、〈ラ・ベル・フェロニエール〉のような、レオナルドの他の後期作品にも見ることができます。ただ、このひび割れのパターンは人工的に作ることができず、そのためまるで人間の指紋のように、完全なる模写作品の作成を不可能にしてくれています。

当時の絵画は描き終わってから保護用のニスを塗りますが、これが徐々に黄変し、画面全体を暗くしてしまいます。その色だけを抽出してデジタル除去した図版によって、私たちは作品がもともと持っていた鮮やかな色彩を知ることができます（図84および口絵14）。

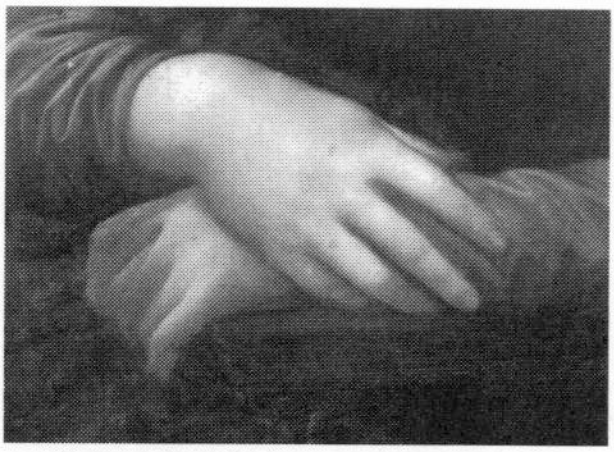

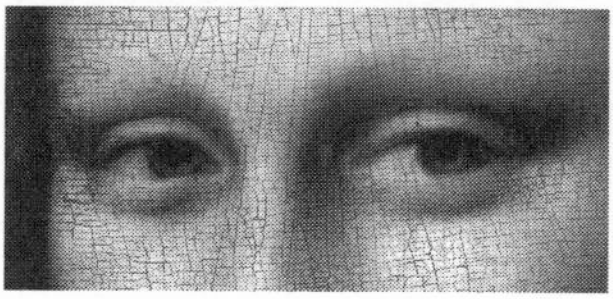

図82（上）〈ラ・ジョコンダ〉、赤外線撮影による手の部分　図83（下）〈ラ・ジョコンダ〉、目と眉の拡大図

柔らかく左側から差し込む光に照らされて、胸元が白く浮かび上がり、手の指や首、顔の微妙な肉付きや凹凸が、繊細な明暗の違いによって描写されるさまは見事です。胸元の幾何学的な紋様装飾や、一本一本描きこまれた頭髪の繊細な描写、巧みな立体感とツヤで描かれた衣服のひだ、優しげな微笑——。

現作品における様式上の際立った特徴は、

図84　デジタル修復による制作直後の状態復元画。制作：東京造形大学（「没後500年　ダ・ヴィンチ・プロジェクト」より。制作指導：宮崎勇次郎、監修：池上英洋）、2019年

輪郭線が描かれていない点です。見たことのないものは描かないとばかりに、徹底したリアリストだったレオナルドは、自然界に存在しない輪郭線を描くことをやめ、色彩のトーンとグラデーションだけですべてを描こうとします。絵画の表面に筆致さえ残さないように、少しずつ色素の含有量を減らした透明のグラッシ層を、ごく薄く何層も重ねて輪郭を浮かび上がらせていきます。彼が編み出したこの独自の技法を「スフマート（ぼかし）」と呼び、補筆もごく細い面相筆で点描し、ぼかすために指の先や掌《てのひら》を使います。本作品でも、特に頬や鼻、唇の描写部分において容易にスフマート技法を確認することができますが、徹底的な観察眼によって生み出されたこの技法は、レオナルド自身の中でも本作品においてようやく完成に至りました。コレッジョのようにこの技法を用いようとした後世の画家もいま

すが、本作品ほどに高いレベルで徹底して用いた他の画家は、たとえレオナルド工房の出身者を含めても皆無です。それほどに、気が遠くなるような根気のいる作業なのです。

アナロギア

それにしても、背景に広がる風景の奇妙さはどうでしょう。荒々しく雄大で、おそろしげとさえ言えます。

レオナルドは、自然界を観察していく過程で、植物と人体の構造に似たデザインを見出します。そしてそれらは往々にして、機能まで似ていることに気付きます。

図85　レオナルド・ダ・ヴィンチ、人・建築・植物・大地のアナロギア、ウィンザー城、王立図書館 RL 12283r.

やがて彼は、人体と器械、建築物と宇宙など、あらゆる尺度の事物の間に「アナロギア（類比）」を見出すことに夢中になっていきます（図85）。典型的な例が、葉脈―手の血管―木の枝―河川の流域、というアナロギアです。それらは単に形態の近似にとどまらず、「流れを止めると活動を停止する」点で機能をも共有している点に特徴があります。彼はそこから、地球を流れる水を、人体における血液に等しいものと考えます。人体が血流によって生かされているのと同様に、この世界は水によって形成され、水によって生かされています。さらに水はこの世の死をも司《つかさど》っているとの考えが、晩年の〈大洪水〉（次章）のシリーズを生みます。

描かれた世界観

雨がやんでも、なぜ川は流れ続けているのでしょう。こうした素朴な疑問にも、彼はひとつひとつ仮説を立てて説明しようと試みます（図86）。彼は、「地下を大きな水脈が流れ」ており、それが地熱で温められて、水が細い管をのぼるように地下通路を上昇すると考えます。そして地上に出た水は冷えて、川となって流れていると仮定します。この仮説に対し、同紙葉の右下では、温めたワインがフラスコを逆流する実験をおこなっており、この仮説を実証しています。もちろん誤った説ではあるのですが、重要な点は、実験によって仮説を実証しようとする近代的な思考にあります。

彼は言っています。「理に依《よ》ることなく、眼の判断と実践のみによる画家は、認識することなくすべての物を自らのうちに模倣する鏡のようなものである」（『アトランティコ手稿』より）。彼にとって科学は絵画を正しく描くために必要で、また絵画は科学的でなければ正しいものとはなりません。よって彼の絵画には、彼の科学的思索の成果が込められていると見てよいでしょう。この前提に立って〈ラ・ジョコンダ〉の風景を見直すと、画面中央左側に描かれた地中で赤く熱せられた水が、細い通路をうねうねとのぼって上方の青い大海へと出ています。地表では険しい山々が出現し、画面右側奥へとつながります。右奥では豊かな大海の水が、時間をかけて徐々に川を創り出し、その終点には、この世界で人類の存在を唯一感じさせる橋が誕生しています。つまりこれらは、彼の「水の循環システム＝地球の生命活動そのもの」との考えを反映しています。

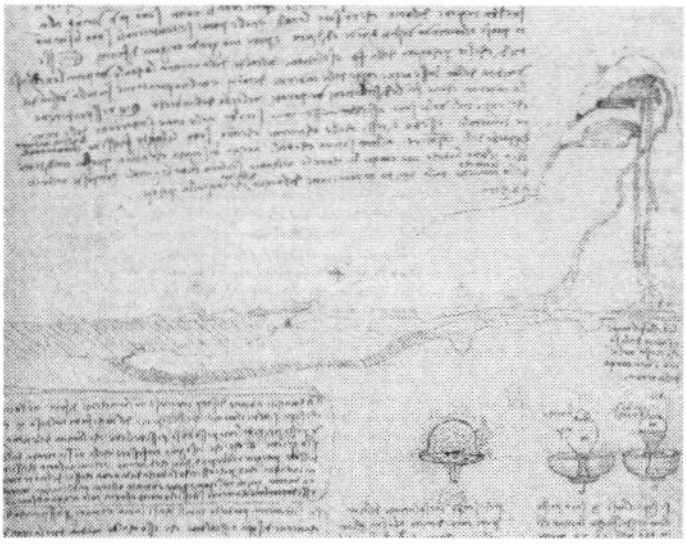

図86　レオナルド・ダ・ヴィンチ、水の循環の仮説、『レスター手稿』、f. 3v.

〈ラ・ジョコンダ〉に雲が描かれていない点も、ピエロ・デッラ・フランチェスカによる先行例などと同様、普遍性をもたせるための戦略です。つまり、画面に一時的な時の流れをあらわす要素を描くことを避けるのです。同様に、ここには一本の木もなく、人ひとりいません。こうした短

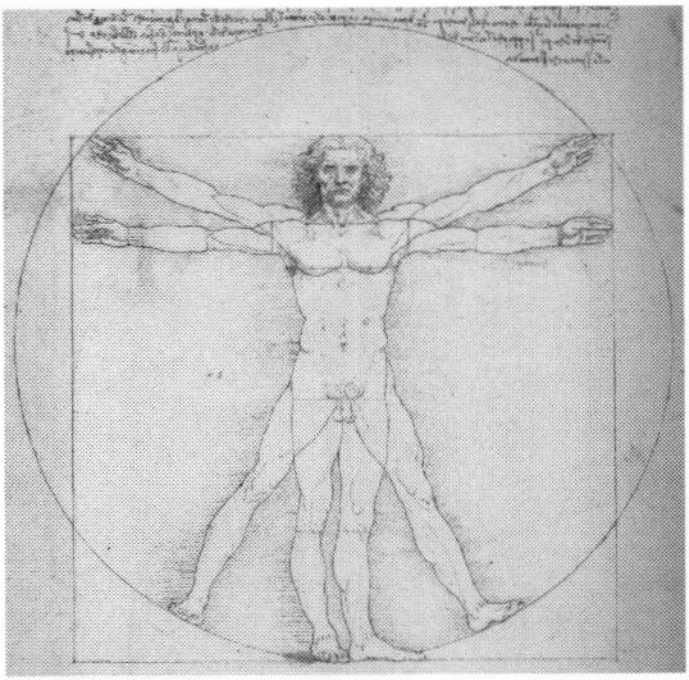

図87　レオナルド・ダ・ヴィンチ、〈ウィトルウィウス的人体均衡図〉、1490年頃、ヴェネツィア、アッカデミア美術館

期的な時間の移り変わりを感じさせる対象を外すことで、時間軸から離れた永遠の景色となるのです。つまりここに描かれているのは、普遍性・永遠性にほかなりません。

現在の一ユーロ硬貨（イタリア貨幣局担当分）の図案にも採用されている美しい人体図は有名ですが（図87）、この図もレオナルドの「アナロギア」の理念を図案化したもののひとつです。紀元前一世紀後半に活動した建築家ウィトルウィウスによる『建築十書』を読んだレオナルドは、その中の「広げた手足の先はへそを中心にした円に接し、真横に伸ばしたときの腕の幅は身長に等しい」という記述をもとに、この〈ウィトルウィウス的人体均衡図〉を描きます。ここでは人体の各部の比率が円と正方形におさめられていて、人体が数的比例に基づいてデザインされたことが示されています。彼はパチョーリの神聖比例論とウィトルウィウスの考えから発し、人体と自然との類似から、それらの間に共通する数的神秘を見出そうとしたのです。ここから、天文学者でもある彼は

「人体＝宇宙」（ミクロコスモス＝マクロコスモス）という究極のアナロギアを導き出します。「地球の身体は、動物の身体に似ている」（『レスター手稿』より）。地球や宇宙も、人体や植物などのように生死がある――彼はそう考えます。彼は「人類はみな死に絶え、繁栄は終わる（……）これが地上の自然の終わりである」（『アランデル手稿』より）と彼の終末イメージを描写しています。レオナルドにとって生命をつかさどっているものは水ですが、〈ラ・ジョコンダ〉では、川の流れはまた戻ってきて、女性の体内を貫通して左側の地中の管へと再び繋《つな》がり、ひとつの大きな輪廻転生《りんねてんしょう》のサイクルを創り出しています。そしてその起点が女性の心臓のあたりに重なるのは、ただの偶然でしょうか――。

モデルの特定に注目が集まりがちな作品ですが、たとえ最初の制作動機が特定人物の肖像であったにせよ、注文が失効して彼の個人的な作品となってからは、彼が考えた理念をこそ描き出す場となったに違いありません。だからこそ、モデルは「誰かに似ている」のではなく、普遍的な美の理想像として「誰にでも似ている」のだと言えます。

普遍的・理想的な女性像を描く場合、その原型として彼が思い浮かべるのは、やはり母親なのかもしれません。同性愛者であればこそ、そして幼少時に実母と離れ離れになったからこそ、彼は女性に対して、性的対象としての官能性よりも母性をこそ望むはずです。ふっくらとした体つきをしたこの女性は、喪服を思わせる黒いヴェールを頭からさげています。これは喪服ではなくミラノで当時流行していたとの説もありますが、夫を亡くした後、レオナルドをたよって来た母が、死が二人をわかつまでの間、喪服を着ていたことが本作品に影響したのかもしれません。

あるいはこの女性像を、トリノの自画像にいくつか特徴が似ていることをもって、彼の自画像の意図的な変種だと考える説が有力とされた時期もありました。それなら、もしこの女性像の原型のひとつが母親であれば、母親と自らの顔に共通点がいくつかあるのは当然ではないでしょうか。母カテリーナにしては若すぎるのではという疑問には、それならばトリノの自画像も年をとりすぎているのでは、という疑問が答えになりそうです。つまり、レオナルドは恣意的に年齢を変えて描いていた可能性があるので、自らの顔の場合には、内省的な深慮が反映されて加齢されたような効果となってあらわれ、そして母親の場合には、理想的で優しげな母性を視覚化したのではないでしょうか。

今もルーヴル美術館の目玉として、そして世界的な至宝として、多くの観光客が〈ラ・ジョコンダ〉のもとを訪れます。謎めいた微笑と優しげなまなざし、そして丸みを帯びた優美な姿は、荒々しさと激しさが同居している幻想的な大地を背景に、時が止まったかのような不思議な静けさを創りだします。制作意図もモデルもよくわからず、多くの謎と伝説を生み出したこの作品は、レオナルドの数少ない絵画作品の中でもとりわけ高い密度と完成度を誇ります。これこそ、レオナルドが一生をかけて見出した美の究極の姿なのです。

五〇代のレオナルドは、フィレンツェとミラノを往復して終わります。フィレンツェ共和国の長官ピエロ・ソデリーニと、フランス軍のミラノ総督シャルル・ダンボワーズの間のやりとりが残っていますが、両国の長がわざわざレオナルドの滞在延長を要請したり、ある時は拒否し、またある時はそれを許可して感謝しあったりしています。国の外交マターになるほど、レオナルドの名声が轟《とどろ》いていたことがよくわかります。

この不安定な時期に、しかしレオナルドは自らの集大成となるような最後の作品を生み出しています。それが〈ラ・ジョコンダ（モナ・リザ）〉です。他にようやく結審した〈岩窟の聖母〉の第二ヴァージョンや、おそらくフランス王ルイ一二世の妻からの依頼と思われる〈サルヴァトール・ムンディ〉なども工房から生み出されますが、先述した通り、彼はもはや一枚の作品を独力で仕上げる意欲をほとんど失った状態にあります。

ローマでの不遇

当時のイタリアで最大の芸術パトロンとなっていたのはローマ教皇庁です。当時の教皇レオ一〇世はメディチ家の出身（イル・マニフィコの次男）で、お膝元のローマではラファエッロとミケランジェロが、空前の規模の芸術プロジェクトをそれぞれ担い始めています。その教皇の弟ヌムール公ジュリアーノ・デ・メディチの招きをうけて、一五一三年九月、六一歳になっていたレオナルドは、わずかなお供を連れてローマへと発ちます。

随行するのは、最愛で最後の弟子にして、すべての手稿を遺贈されるフランチェスコ・メルツィ（この時二〇歳前後）と、すでに三三歳になっていたサライ、そして他に二名の弟子との計四名です。

しかし、ローマ移住は期待はずれな結果に終わります。彼は特に解剖に打ち込んでいましたが、助手として雇った二人のドイツ人助手は言ったとおりに働かないばかりか、待遇などあらゆることに不平をまくしたて、果てはレオナルドが怪しげな死体占いをしていると教会に密告してしまいます。理不尽なことに、教会はすぐさまレオナルドにこれ以上の死体解剖をおこなうことを禁止してしまいました。

ヌムール公からは月に三三ドゥカーティが支払われてはいましたが、今日の額で一〇〇万～一五〇万円にしかなりません。これで彼のもとにいた弟子や職人などすべての人件費をまかなわなければなりません。同時期のラファエッロとミケランジェロのプロジェクトに対して支払われた総額が、どちらも三億から五億円にのぼることを考えれば、レオナルドの不遇は明らかです。

あったかもしれない二度目の「世紀の対決」

そこでひとつ考えられるのが、「未着手で終わった制作計画」があった可能性です。前章で述べたように、レオナルドにとってこの世界に訪れる終末は、きっと嵐や

図88 レオナルド・ダ・ヴィンチ、〈大洪水〉のデッサン、1514-17年頃、ウィンザー城、王立図書館 RL 12380r.

大洪水によってひきおこされるはず――、これが彼にとっての最後の審判のイメージだと言えます。彼が晩年に取り組んだ〈大洪水〉のシリーズは、明らかにアナロギア研究でたどりついた「水による世界の終わり」をイメージしたものです（図88）。晩年のレオナルドが、わずか三三ドゥカーティのオファーでローマ行きを決断したとは考えにくく、筆者はその理由を、ミケランジェロが手掛ける前のシスティーナ礼拝堂正面壁（まさにミケランジェロの〈最後の審判〉がある壁面）を描く口約束でもあったためと推測しています。実際に、わずか

五人でローマに行ったにしては、到着後すぐに大人数用の机や椅子を注文しており、はては大規模壁画用としか思えないような足場を作業場に組ませたりもしています。

もしあの壁面にレオナルド版〈最後の審判〉が描かれていたとすれば、それは水が猛威をふるうダイナミックな光景で、神の姿さえ描かれなかったかもしれません。そして実現していれば、天井面にミケランジェロの〈天地創造〉と、正面壁にレオナルドの〈最後の審判〉があることになり、かつてフィレンツェで果たせなかった「世紀の対決」がついに成立した空間になっていたかもしれないのです。この夢想にはワクワクさせられますが、推論に過ぎない段階のものなので、これ以上は拙著をお読みいただくようお願いいたします。

結局何も果たせないまま、さらに不運なことに、一五一六年三月一七日、パトロンのヌムール公ジュリアーノ・デ・メディチが三八歳の若さで世を去ってしまいます。失意のレオナルドは、かつてよりオファーを受けていたフランス王のもとへと、メルツィとサライらごく少数の者だけを連れて、遠くフランスのアンボワーズに向けて旅立ちました。人生五〇年の時代に、レオナルドはすでに六四歳になっていました。

『アトランティコ手稿』に、「言ってくれ、サンドロ、どう思う？　本当のことを言えば、僕は成功しなかったんだ」という一文があります（サンドロが誰を指すのかは不明です）。これは、かつてミケランジェロに罵られたとおり、結局は大きな成果をほとんど発表することなく晩年をむかえつつある無念さを吐露したものかもしれません。

フランスでの穏やかな死

若きフランス王フランソワ一世は、軍事的にも政治・経済的にもイタリアを圧倒していたフランスに、ただひとつまだ足りないものが文化であることを自覚していました。そのため王は手っ取り早く、イタリアから各分野の名だたる文化人をあらかた招聘《しょうへい》します。この狙いはいずれフランス文化の隆盛へと繋《つな》がって実を結ぶことになりますが、その象徴的な存在こそがレオナルドでした。イタリアでついぞ叶《かな》えられなかった「宮廷画家」という身分と、かつて王の姉が住んでいたクルー城館（図89）が与えられ、ミケランジェロらとようやく肩を並べるだけの年俸と、さらには弟子のメルツィにまで貴族の出自にふさわしい額の年金が与えられました。

レオナルドはフランスでいくつかの祝祭演出を担当するなどしたようですが、あまり目立った活動はしていません。それまでの浮き沈みの激しい人生や、幅広い分野における思索についてて王に話して聞かせながら、最後の二年半を穏やかに過ごしたようです。一五一七年一〇月には、ルイージ・ダラゴーナ枢機卿《すうききょう》の一行がレオナルドのもとを訪れ、先述したようにその秘書官デ・ベアティスが、レオナルドの手もとに〈ラ・ジョコンダ〉、〈聖アンナと聖母子〉、〈洗礼者ヨハネ〉の三枚があったことを記しています。彼はそこでレオナルドが抱えていた「右側の麻痺《まひ》」についても記録しています。右半身なのか右手だけなのかわかりませんが、直接会って書いているので本当なのでしょう。左利きのレオナルドとはいえ、右手の麻痺が制作活動に影響しないはずはなく、ひょっとすると特に後半生における創作の不活性さはこの状態に主因があるのかもしれません。デ・ベアティスは続けて、「もう良い作品は期待できない」とまで書いています。加えて、盲目の美術理論家ジャンパオロ・ロマッツォもまた、レオナルドの未完成癖の理由を、画家の手の震え癖に求めています。ロマッツォの資料はレオナルド死後のものですが、レオナルド最後の弟子メルツィに取材していることからも信憑性《しんぴょうせい》は低くありません。

図89　レオナルド最後の住まいとなったクロ・リュセ城（クルー館）、アンボワーズ

彼が最後まで手離すことなく持っていた三枚のうちの一枚〈洗礼者ヨハネ〉（口絵17）は、三作品のなかでも最も

遅く着手されたものであり、彼の遺作と言え、それだけテーマや図像には彼の晩年の思想が反映されているはずです。なにより、ヴェロッキオとの共作で描かれていたような男性的な洗礼者ヨハネが伝統的であるなかで、この作品ほど謎めいて中性的なヨハネ像は他に存在しません。彼は〈ラ・ジョコンダ〉よりもはっきりとした笑みを浮かべ、十字架の杖《つえ》を持しながら、天を指さして自分より後から来る人（イエスのこと）こそが救い主であることを教えています。

この洗礼者ヨハネが中性的なのは、ほぼ確実に、メディチ家のサロンで追究されていた思想が背景にあるせいです。複雑にすぎて長くなるので、詳しくは拙著（『死と復活』〈筑摩選書〉、『レオナルド・ダ・ヴィンチ　生涯と芸術のすべて』〈筑摩書房〉など）をお読みいただきたいのですが、ごく簡潔に述べると、その背景には男女の合一体である両性具有体こそが人間の理想形だとする考えがあります。

現代から振り返ってみれば、彼がフランスで亡くなっていることは示唆的です。イタリア・ルネサンスの土壌となった群雄割拠状態は、すでに見たように絶対王政国家に対する軍事上の敗北の原因となりました。ルネサンス思想の根本にあった自治共和政をイタリア人民は放棄し、君主政を自ら望むようになります。実際に、たとえばメディチ家はほどなくトスカーナ大公となって公的に君主となります。さらに、コロンブスやアメリゴ・ヴェスプッチなど、イタリアの航海者たちによって開かれた大航海時代は、大西洋に面するスペインやポルトガル、次いでオランダとイギリスを世界史の主人公に引っ張りあげる結果となります。イタリアの地理的優位は失われ、かつてヨーロッパの金庫だったはずの経済力がイタリアの手から漏れ落ちていきます。レオナルドが生まれる一年前にコロンブスが誕生し、レオナルドが亡くなるのと同じ年にマゼランが世界周航の旅に出ているように、レオナルドの一生はまさに大航海時代の大波にぴったり重なっていました。

図90　レオナルドの墓があるサンテュベール礼拝堂、アンボワーズ城

一五一九年四月二三日、レオナルドは死期を悟ったのでしょう、遺言状をしたためています。そこでは、サライともうひとりの召使いにわずかな農場と居宅を等分に遺すほか、手稿や作品など創作活動に関わることのすべてを最愛の弟子メルツィただひとりに託しています。

五月二日、六七歳で死去。六月一日には、

イタリアにいるレオナルドの異母弟に宛てて、メルツィが師の永眠を報告する手紙を送っています。そこには、「私にとって善き父でもあり、その死によって私がうけた悲しみは、とてもいいあらわすことができません」と、悲嘆にくれる胸の内がつづられています。そして八月一二日、アンボワーズのサン・フロランタン教会にて葬儀がおこなわれました。しかしその後、墓はフランス革命のあおりで破壊され、今も確実にレオナルドのものと断定できる遺体は発見されていません。

おわりに――最初の近代人から学ぶこと

小中高の児童・生徒の皆さんにレオナルドについてお話しさせていただく機会がたまにあるのですが、そこで決まって筆者が紹介するエピソードがあります。それは筆者がイタリア留学中に現地で目にした光景です。欧米の美術館では、作品の前で体育座りして取り囲む学生たちを前に、教師が説明しながら、子どもたちから自由活発に意見を引き出しているところをよく見かけます。

ある日、ミラノの科学博物館で、復元されたレオナルドの機械模型を前にして、初老の女性教師が小学生に向かって話していました。彼女はひとしきり説明したあと、「レオナルドはすごい！　っていうだけじゃダメよ。レオナルドも幼い頃はあなたたちと同じ普通の子で、自分でいろいろ失敗しながらずーっと努力したからこうなったのよ」と結んだのです。

実のところ、生まれながらの天才から私たちが学べることはそうありません。そういう人は努力することなく凄《すご》いことができてしまうので、「凄いな」という感想だけしか出て来ません。ルネサンスでいえば、ラファエッロなどがこのカテゴリーに入るでしょう。

しかし、本書をお読みいただいた方はもうおわかりだと思いますが、レオナルドはまったくそのような人物ではありません。たしかに成し遂げたことは驚異的で、たったひとりの人が一生でここまでできるのかと唖然《あぜん》とさせられます。しかし、彼はごく普通の人間として生まれ、むしろハンデを背負ったラインからスタートしています。「万能の天才」というレッテルは格好良いものの、レオナルドの実像を覆い隠してしまいかねません。

そこから彼は、類《たぐい》まれなる好奇心の広さと執拗《しつよう》な探求心、飽くことのない努力と既成概念にとらわれない自由な発想、そして知らないことは素直に欠けていると認め、より詳しい人や書物に尋ねようとする謙虚さによって、あれほどの広い地平を同時に見ることのできる人間となったのです。強いて言えば、彼は「努力の天才」などと形容すべき人物なのでしょう。

彼がルネサンスのイタリア、それもフィレンツェ近郊に生まれたことも幸運でした。戦争による中断など時代に翻弄された人ではありますが、彼が諸国で才能を伸ばせる機会を得たのは動乱期ならではです。そして育て上手の師匠や、さまざまな分野の専門家の先達に出会ったことも彼の滋養となっています。加えて、あらたなことにチャレンジする勇気も学ぶべきでしょう。ミラノにうって出た三〇歳という年齢ひとつとってみても、寿命を考えると現在の五〇歳前後に相当する年齢で、すべてを捨ててあらたな挑戦にうって出る勇気などなかなか真似できませんから。

たとえ科学史に直接貢献することが少なかったとしても、レオナルドが私たちに遺してくれた最大のものは、彼の記録や作品を知ることで学べる、こうした彼の生き方そのもの、そして周りの習慣や固定観念に縛られない、真に自由な精神にこそあるのでしょう。


以下、日本語で手軽に読めるおすすめの本をいくつか挙げておきます（日本での発行年順）。


『レオナルド・ダ・ヴィンチの手記』（上下）、杉浦明平訳、岩波文庫、一九五四年。

ケネス・クラーク、『レオナルド・ダ・ヴィンチ』、丸山修吉・大河内賢治訳、法政大学出版局、一九七四年。

『知られざるレオナルド』、ラディスラオ・レティ編、小野健一・久保尋二・裾分一弘・高階秀爾・佐々木英也・横山正ほか訳、岩波書店、一九七五年。

ジョルジョ・ヴァザーリ、『ルネサンス画人伝』、平川祐弘・小谷年司・田中英道訳、白水社、一九八二年。

斎藤泰弘、『レオナルド・ダ・ヴィンチの謎』、岩波書店、一九八七年。

カルロ・ペドレッティ、『建築家レオナルド』、日高健一郎・河辺泰宏訳、学芸図書、一九九〇年。

田中英道、『レオナルド・ダ・ヴィンチ』、講談社学術文庫、一九九二年。

ブルーノ・サンティ、『ボッティチェリ』、関根秀一訳、東京書籍、一九九四年。

長尾重武、『建築家レオナルド・ダ・ヴィンチ』、中央公論社、一九九四年。

セルジュ・ブランリ、『レオナルド・ダ・ヴィンチ』、五十嵐見鳥訳、平凡社、一九九六年。

佐藤幸三、青木昭、『図説　レオナルド・ダ・ヴィンチ　万能の天才を尋ねて』、河出書房新社、一九九六年。

リチャード・ターナー、『レオナルド神話を創る』、友利修・下野隆生訳、白揚社、一九九七年。

アレッサンドロ・ヴェッツォシ、『レオナルド・ダ・ヴィンチ』、高階秀爾監修、後藤淳一訳、創元社、一九九八年。

久保尋二、『宮廷人レオナルド・ダ・ヴィンチ』、平凡社、一九九九年。

片桐頼継、『レオナルド・ダ・ヴィンチという神話』、角川選書、二〇〇三年。

裾分一弘、『レオナルドの手稿、素描・素画に関する基礎的研究』、中央公論美術出版、二〇〇四年。

田中英道、『レオナルド・ダ・ヴィンチの世界像』、東北大学出版会、二〇〇五年。

マーティン・ケンプ、『レオナルド・ダ・ヴィンチ　芸術と科学を越境する旅人』、藤原えりみ訳、大月書店、二〇〇六年。

池上英洋、『レオナルド・ダ・ヴィンチ　西洋絵画の巨匠8』、小学館、二〇〇七年。

『レオナルド・ダ・ヴィンチの世界』、池上英洋編、東京堂出版、二〇〇七年。

フランク・ツォルナー、『レオナルド・ダ・ヴィンチ　全絵画作品・素描集』、タッシェン・ジャパン、二〇〇七年。

『レオナルド・ダ・ヴィンチ　天才の実像』展図録、池上英洋監修、朝日新聞社ほか、二〇〇七年。

カルロ・ペドレッティ、『レオナルド・ダ・ヴィンチ　藝術と発明【機械篇】』、田中久美子・小倉康之・森田学訳、東洋書林、二〇〇八年。

ドメニコ・ラウレンツァ、『レオナルド・ダ・ヴィンチ　藝術と発明【飛翔篇】』、加藤磨珠枝・長友瑞絵訳、池上英洋訳・解説、東洋書林、二〇〇八年。

チャールズ・ニコル、『レオナルド・ダ・ヴィンチの生涯』、越川倫明・松浦弘明・阿部毅・

深田麻里亜・巖谷睦月・田代有甚訳、白水社、二〇〇九年。

マーティン・ケンプ、パスカル・コット、『美しき姫君』、楡井浩一訳、草思社、二〇一〇年。

前橋重二、『レオナルド・ダ・ヴィンチ　人体解剖図を読み解く』、新潮社、二〇一三年。

レオナルド・ダ・ヴィンチ、『絵画の書』、斎藤泰弘訳、岩波書店、二〇一四年。

斎藤泰弘、『ダ・ヴィンチ絵画の謎』、中公新書、二〇一七年。

池上英洋、『レオナルド・ダ・ヴィンチ　生涯と芸術のすべて』、筑摩書房、二〇一九年。


本書は、いつものように筑摩書房の吉澤麻衣子氏の発案により生まれました。有益な助言と厳しい目、そして明るい励ましに感謝します。二人三脚でまたあらたに一書を世に出すことができて嬉《うれ》しく思います。

そしてレオナルドの没後五〇〇年にあたる二〇一九年、彼の全絵画のヴァーチャル復元と、建築と機械の立体模型制作およびCGアニメーションでの実現化に、所属する東京造形大学では「ダ・ヴィンチ・プロジェクト」として取り組みました。そしてその成果を、二〇二〇年一月に「レオナルド・ダ・ヴィンチ没後五〇〇年　夢の実現展」として、代官山ヒルサイドフォーラムにて展示することができました。同展キュレーターを務めた同僚の藤井匡《ふじいただす》准教授をはじめ、同プロジェクトにたずさわったすべての教職員・卒業生・学生・外部協力者・後援団体のみなさまに、この場をお借りして深く感謝の意をささげます。

巻末資料①——絵画作品リストと解説

作品①（口絵1）：レオナルド・ダ・ヴィンチ、一部ヴェロッキオ工房の同僚か、〈受胎告知〉、1472〜75年頃、板に油彩、98×217 cm、フィレンツェ、ウフィツィ美術館

二〇歳で画家組合に親方として登録されたレオナルドの、実質的な単独デビュー作です。マリアの腕の不自然な長さなど、まだ粗削りな点はありますが、後の万能ぶりを予告するような要素が、数多く示された野心的な作品です。

聖母マリアにイエスが宿ったことを、大天使ガブリエルが告げる場面で、処女懐胎にふさわしく、純潔さと処女性の象徴である白百合《しらゆり》を天使が手にしています。堂々としたマリアは、取り乱すことなく自らの運命を受け容《い》れているようです。

以前は教会の聖具室にありました。彼が完成させた作品のうち、壁画である〈最後の晩《ばん》餐《さん》〉を除き、最大のサイズをほこります。後に彼自身が最初に理論化する空気遠近法がはやくも用いられているなど、レオナルドの後の博物学的関心がすでにあらわれています。

作品②（口絵2）：レオナルド・ダ・ヴィンチ、おそらく部分的にヴェロッキオ工房の同僚も関与、〈カーネーションの聖母〉、1472〜78年頃か、板（ポプラ）にテンペラと油彩、62×47.5 cm、ミュンヘン、アルテ・ピナコテーク

マリアの顔つきや花瓶の歪《ゆが》みなどから、〈受胎告知〉と同じ頃のもので、ヴェロッキオ工房の同僚たちの手が入っていると思われます。カーネーションは血や肉に似た赤色をしているので、キリストの受難のシンボルとして描かれます。

聖母子は工房に注文される小品の中でもっとも需要があった主題です。本作には、頭部や花瓶のパースに狂いがみられることもあって、一九〇〇年頃には師匠のヴェロッキオや弟弟子のクレディなどの名が作者として挙げられていました。まだ硬質な人物描写などは〈受胎告知〉の様式に近く、ほぼ同時期の作品と考えられます。いずれにせよ、同僚たちと一緒に制作するのは当時あたりまえの光景であり、本作にも複数名の関与をみるべきでしょう。

ジョルジョ・ヴァザーリの『美術家列伝』には、教皇クレメンス七世(メディチ家出身)がレオナルドによる聖母子像を所有していたと書かれていますが、本作がそれに該当すると考えられているのは、そこに「花が何本か差された瓶」が描かれているると記されているためです。

作品③〈口絵3〉：レオナルド・ダ・ヴィンチ、〈ブノワの聖母〉、1478-79年、板に油彩、カンヴァスへ移行、49.5×33 cm、サンクト・ペテルブルク、エルミタージュ美術館

レオナルドが二六歳の時に書きのこした紙葉の一枚に、「一四七八年一二月（?）、二点の聖母像にとりかかった」との記述があります。諸説ありますが、おそらく本作と〈猫の聖母〉と呼ばれるスケッチ（大英博物館蔵）が該当すると思われます。

両作品はアーチ状の画面や窓の位置と形状などが一致するため、注文した商家の妻子を工房に呼んでスケッチし、聖母子のモデルにしたと考えられます。もしそうなら、聖なる存在である聖母子を、実在の親子をモデルに描いたことがわかる最初期の例と言えます。それまでスタンダードだった堂々たるマリア像と違って、とても優しい表情をしている点が特徴です。二〇世紀初頭の美術史の泰斗ベレンソンは、本作のマリアを「醜い」とけなしているのですが、実在するごく普通の、「美しくない」女性を描いた点にこそ重要性があります。

作品④（口絵4）：レオナルド・ダ・ヴィンチ、〈ジネヴラ・デ・ベンチ〉、1478–80年、ポプラの板に油彩とテンペラ、38.1×37 cm、ワシントン、ナショナル・ギャラリー・オブ・アート

〈ジネヴラ〉はメディチ銀行の番頭格だったベンチ家の娘ジネヴラを描いた肖像画で、珍しく裏面にも絵が描かれています。レオナルドと同時代の商人ビッリ（第三章で紹介）が、画家がジネヴラの肖像を描いたと記しており、また裏面の中央に描かれた杜松《ねず》（ジネプロ）がジネヴラの語呂合わせにもなっていることから、本作のモデルがジネヴラであることは確実です。

右端と下部に切断痕があり、また裏面には最下部に顔料層の剥離があるため、おそらく水浸しになったかなにかの理由で後の所有者が下から三分の一ほどを切断したものと考えられます。では、もともと何が描かれていたのでしょうか。表面は、師ヴェロッキオによる同モデルの大理石胸像（バルジェッロ美術館）と、レオナルド自身が残した女性の手のスケッチから、組まれた両手が描かれていたことが推測できます。

裏面は、注文主と考えられるヴェネツィア大使ベルナルド・ベンボのインプレーザ（標章）に酷似し、赤外線撮影により、現在の銘文の下にはもともとベンボ自身の銘文が入っていたことがわかっています。彼はジネヴラをミューズ（芸術のインスピレーションを与えてくれる存在）として称揚していたこともわかっているので、彼が本作品の注文主であることは確実です。

作品⑤（口絵 5）：レオナルド・ダ・ヴィンチ、〈東方三博士（マギ）の礼拝〉、1481-82 年、ポプラの板に油彩、243×246 cm、フィレンツェ、ウフィツィ美術館

ミラノに自らを売り込んだ際、未着色のままフィレンツェに残した巨大な絵。もし完成していれば彼の代表作のひとつとなっていたはずです。

ほぼ正方形をした大型の本作は、幅二〇センチメートルほどの縦長のポプラの板が一〇枚ほど膠《にかわ》で接合されています。主題は生まれたばかりのイエスのもとに、東方から三人の賢者（マギ）が祝福に訪れている場面です。幾多の画家によって描かれてきた主題ですが、レオナルドはここでも強烈な個性を発揮しています。それまでこれほどに謎めいた人物たちがうごめいている作例も無ければ、どの三人が賢者なのかさえ判然としない作品もありません。後方にはヘロデ王による嬰児《えいじ》虐殺らしき光景が広がっており、遠近法で作図された美しい小型下絵がウフィツィ美術館に残っています。

一四八一年七月にサン・ドナート・ア・スコペート修道院との間で結ばれた本作の注文契約書があり、それから下絵をここまでしっかりと描き込んだものの、支払い方法か主題解釈で揉《も》めて中断されてしまいました。同修道院にはその後、ボッティチェッリの弟子のフィリッピーノ・リッピが代替作を納品しましたが、構図の類似性などから本作を参考にしたことは確実です。

作品⑥（口絵6）：レオナルド・ダ・ヴィンチ、〈聖ヒエロニムス〉、1480-82年頃、クルミの板に油彩、103×74 cm、ヴァチカン絵画館

〈東方三博士の礼拝〉と並んで、色を付ける寸前の状態で放置された二作品のうちの一点です。未完成とはいえ、下絵段階でこれほどしっかりと陰影をつける画家は、レオナルド以外にはあまりいません。

聖人が荒野での修行中に、自らを誘惑する妄想に打ち克《か》とうと石で胸を打つ場面。本作に関する当時の記録は一切無いのですが、〈東方三博士の礼拝〉にそっくりな技法と筆遣い、そしてなにより骨や筋肉に対する解剖学的な関心などによって、レオナルド作であることを疑う者はいません。〈東方三博士の礼拝〉と同様に、ミラノに仕官するにあたって、いずれ再着手する日までのつもりで、フィレンツェの知人宅に預けていったのでしょう。

その後、聖人の頭部の部分が四角く切断されてしまいましたが、ナポレオンの叔父のフェッシュ枢機卿《すうききよう》が頭部と残りを発見しました。

作品⑦（口絵 7）：レオナルド・ダ・ヴィンチ主導、デ・プレディス兄弟と共作、〈岩窟の聖母〉（第一ヴァージョン、パリ版）、1483-86 年頃、板に油彩、カンヴァスに移行、199×122 cm、パリ、ルーヴル美術館

二点ある〈岩窟の聖母〉の第一ヴァージョンです。

聖母マリアの子宮は、アダムとエヴァ（イヴ）がおかした原罪から免れているとする「無原罪懐胎」を主題としています。一四八三年四月に注文主のミラノの無原罪懐胎同信会とかわした契約書がありますが、同信会側がやれ背景に金箔《きんぱく》を貼れ、空に天使を飛ばせ、預言者を加えろと伝統的な図柄をことこまかく指示しているにもかかわらず、レオナルドには従う気はまったく無かったようです。後にも先にも、洞窟のなかで洗礼者ヨハネという聖母子の姿で無原罪懐胎の主題を描いた例はほかにありません。加えて支払い額の問題もあって、およそ二〇年にわたる裁判沙汰になりました。

作品⑧（口絵 8）：レオナルド・ダ・ヴィンチ、アンブロージョ・デ・プレディスとの共作、〈岩窟の聖母〉（第二ヴァージョン、ロンドン版）、1508 年に制作完了か、ポプラの板に油彩、189.5×120 cm、ロンドン、ナショナル・ギャラリー

二〇年におよぶ裁判を経て、ようやく再契約がなされて描かれた第二ヴァージョンです。

もともと同信会との契約書類では、制作はミラノのデ・プレディス兄弟とレオナルドの三者となっていました（そのうちレオナルドだけが親方に指定されています）。その後の長い裁判の間に、おそらく最初の板絵（パリ版）は他者にすでに売却済みで、そのためあらためて本作が描かれたと考えられています（ただし諸説あります）。再契約時レオナルドはすでにミラノに定住しておらず、通いながらアンブロージョ・デ・プレディスと共に制作したと思われます。レオナルドの下絵に基づき、デ・プレディスらがほとんどを描き、レオナルド本人は加筆修正したのでしょう。

なお板には、もともと異なるポーズの聖母子像の下絵が描かれていたことが、赤外線による撮影によりわかっています。

作品⑨（口絵 9）：レオナルド・ダ・ヴィンチ、〈白貂を抱く貴婦人〉、1490 年頃、クルミの板に油彩、55×40.5 cm、クラクフ（ポーランド）、チャルトルスキ美術館

描かれているモデルの名がわかっている作品です。レオナルドのミラノ宮廷時代の君主であるルドヴィコ・スフォルツァ（イル・モーロ）の愛人だったチェチリア・ガッレラーニを描いたものです。後にマントヴァの女君主イザベッラ・デステが、本作を借りたいとチェチリアに依頼した手紙とその礼状が残っています。数年後、マントヴァに滞在したレオナルドに、イザベッラは自らの肖像画を注文し、レオナルドはデッサンまで描くのですが（ルーヴル美術館蔵）、彩色画の依頼は無視し続けました。

チェチリアが抱いている白貂《しろてん》のギリシヤ語「ガレー」は、ガッレラーニの語呂合わせともなっています。第二次大戦中にナチスが略奪し、戦後に奪還された作品のひとつです。

左上隅に、後世に〈ラ・ベル・フェロニエール〉（次頁）と混同されていた時の誤った題名が書かれています。

作品⑩（口絵 10）：レオナルド・ダ・ヴィンチ、〈ラ・ベル・フェロニエール〉、1492-95 年頃、63×45 cm、クルミの板に油彩、パリ、ルーヴル美術館

ミラノ時代の終盤に、レオナルドの様式がかなり成熟してきた時期の作です。ドレスの赤色が頬の下側に映っていますが、これは光の効果を科学的に研究した成果です。印象派が同じことをして叩《たた》かれるのはこれより四〇〇年近く後のことです。

やや斜め前を向く「四分の三正面観」、繊細なグラデーションによる立体描写、口もとのかすかな笑み、ドレスの襟もとの細かな刺繡《ししゅう》。本作は何から何まで、後の〈ラ・ジョコンダ〉の雛型《ひながた》と言って差し支えありません。〈白貂を抱く貴婦人〉と同じ木から切り出された部材が使われたものと思われますが、制作時期は異なり、レオナルド独自のスフマート技法は本作のほうがより進んだ段階を示しています。

モデルには諸説ありますが、おそらくは〈白貂〉と同じく、君主イル・モーロの愛人のひとりと思われます。額の飾り紐《ひも》を指す「フェロニエール」は、レオナルド晩年のパトロンであるフランス王フランソワ一世の愛人フェロン夫人の名に由来します。

作品⑪（口絵11）：レオナルド・ダ・ヴィンチ、〈最後の晩餐〉、1495-98年、壁体に油彩とテンペラ、460×880 cm、ミラノ、サンタ・マリア・デッレ・グラーツィエ教会修道院

ミラノのサンタ・マリア・デッレ・グラーツィエ教会の修道院の食堂壁面に描かれた本作は、レオナルド唯一の現存壁画にして最大のサイズをほこっています。修道院の食堂という地味なロケーションながら、この壁画で彼はついに画家としての名声をも獲得しました。しかし壁画に適合しない技法のせいで、彼の存命中にはやくも傷み始めました。

当時子供で後に作家となるマッテオ・バンデッロ（修道院長の甥《おい》）の証言にあるように、長考しつつ時おり筆を入れるレオナルドの制作スタイルは、漆喰《しっくい》が乾く前に描かなければならないフレスコ技法には向いておらず、そのため通常は板絵に用いられるはずのテンペラと油彩による混合技法で描かれています。

壁画に不適切な技法の選択は、制作直後から顔料層の剥離を引き起こし、加えて裏にある厨房《ちゅうぼう》の湿気によるカビによって何世紀もの間真っ黒に覆われていました。ナポレオンによる占領時代には厩舎《きゅうしゃ》として用いられ、兵士たちは聖人の目に槍《やり》を当てて遊びます。おまけに第二次大戦ではわずか数メートル横にアメリカ軍の爆弾が落ちています。残っていること自体が奇跡とも呼べる本作は、一九九九年、二〇年にわたる修復を終えましたが、壁画は今でもかなりの部分が剥離した痛々しい姿をさらしています。

作品⑫（口絵 12）：レオナルドによる下絵に基づき、工房内の弟子によって制作、ランズダウン版（レフォード版とも）〈糸巻きの聖母〉、板にカンヴァスを糊付けした状態で油彩か（後カンヴァスに移行した後、板に再移行）、50.2×36.4 cm、New York、個人蔵

本人の作品がなく、弟子の模写ばかりが残っていると考えられてきたのが、〈糸巻きの聖母〉のグループです。そのなかでランズダウン版の下絵はレオナルド本人のもので、聖母子も彼の監督下で制作されたものであることがわかってきました。

レオナルドは一時期、フランス王の秘書官ロベルテのために、糸巻き棒を手にしたイエスとマリアの絵を手掛けています。その一方で、レオナルドは数学などの研究に没頭していて、一枚の絵をすべて一人で描く意欲を失っており、弟子たちに描かせている絵に時おり手を入れる程度だ、とも当時の報告書は証言しています。

数十点の派生作品が残っている〈糸巻きの聖母〉系統の絵画群は、すべて微妙に異なっていますが、それらの違いを辿《たど》っていくと、ランズダウン版とバクルー版と呼ばれる二枚の作品の「下絵」に行きつきます。不思議なことに、大きく異なる両作品は、彩色層の下に隠れていて赤外線撮影でのみ確かめられる「下絵」では全く同じです。ということは、この「下絵」こそが、レオナルドの当初の構想だったことを意味しています。そして二枚のうちランズダウン版はレオナルドの様式にかなり忠実なので、証言にある通り、自分の下絵をもとに弟子に描かせながら、時おり手を入れていった作例だとみるべきでしょう。

作品⑬〈口絵 15〉：レオナルド・ダ・ヴィンチ、〈聖アンナと聖母子〉、1502–16 年、ポプラの板に油彩、168.5×130 cm、パリ、ルーヴル美術館

レオナルドが亡くなった時、アトリエに残されていた三点のうちのひとつです。聖母マリアが母アンナの膝のうえに、やや無理のある体勢で座っています。レオナルドは生涯に何度も、この三世代の主題に取り組んでいます。

レオナルドの両親が正式な結婚をしなかったため、婚外子となったレオナルドは授乳期間後に実母と離されました。この記憶があるせいか、レオナルドが描く女性像には、ルネサンス美術としては例外的に、官能性よりも母性が目立ちます（彼が同性愛者であることもこの傾向の理由のひとつでしょう）。ここでは、幼児イエスを抱きかかえようとする母マリアを、マリアの母アンナがあたたかく見守っています。

本作品そのものではありませんが、レオナルドがフィレンツェに再び戻ってきたとき、これら三世代母子を描いた大型のカルトン（転写用下絵の紙）を公開して、長い行列ができるほどの評判をよんでいます。

作品⑭（口絵13）：レオナルド・ダ・ヴィンチ、〈ラ・ジョコンダ（モナ・リザ）〉、1503-05年頃（その後も手を加え続けたか）、ポプラの板に油彩、79.4×53.4 cm、パリ、ルーヴル美術館

疑いなく、世界で最も知られた絵画作品。いまだ多くの人を惹《ひ》きつける不思議な女性像。幻想的な風景の意味も含め、多くの謎に包まれた作品です。一九一一年に盗難にあい、二年後に発見されました。無数の模写があり、歌や文学などに何度も採り上げられてきました。日本には一九七四年に貸し出されて一五一万人を動員し、いまだに単館企画展の入場者数世界記録となっています。五〇代に入り、フィレンツェに戻ったばかりの頃の作品です。

しかしいまだに謎が多く、モデルが誰かという問題ひとつとってみても諸説入り乱れて解決をみていません。フィレンツェの商人デル・ジョコンドの妻リザを描いていたとの証言も残っていますが、それがこの絵のことなのかどうかさえ確証はありません。いずれにせよ、どこかの時点で注文契約が失効したのでしょう。通常なら塗りつぶされて他の作品用の板となりますが、レオナルドはその後もずっと手もとに置いて手を入れ続けました。売るあてもなく趣味的な絵を描くこと自体、非常に近代的な行為です。そのため、この女性は特定の誰かではなく、自らの理想を形にした普遍的女性像となったのだと筆者は考えています。同様に、幻想的な背景も特定の場所ではなく、彼が考えていた地球の生成の様相だと思われます。

作品⑮（口絵 16）：レオナルド・ダ・ヴィンチと工房、〈サルヴァトール・ムンディ〉、1507–08 年頃か、クルミの板に油彩、65.6×45.1 cm、個人蔵

五〇代なかばで、再びフィレンツェに住んでいた頃の作品です。二〇一七年一〇月、ニューヨークのクリスティーズで開かれたオークションで、史上最高値となる五〇八億円（手数料込み）で落札されて話題となった作品です。高騰した理由は、レオナルドの他の真筆作品がすべて公的な機関の所蔵であり、もしこれが真筆なら個人所有が可能な唯一の着彩絵画となるためです。

以前から存在は知られていましたが、近年の修復によって、その優れてレオナルド的な様式が取り戻されました。赤外線撮影では手直し（ペンティメント）や掌紋などが見つかっています。〈糸巻きの聖母〉の項で述べたように、当時はレオナルドが絵画制作をほぼ弟子にやらせている時期にあたります。そのため仕上げた作者が誰かという帰属問題には諸説ありますが、少なくとも下絵と、右手と毛髪の一部にレオナルドの直接的な関与を認めることができます。

サルヴァトール・ムンディとは「世界の救い主＝救世主キリスト」の意味。来歴や模写などの状況証拠から、ミラノを占領したフランス王ルイ一二世の妻アン・ド・ブルターニュの注文である可能性が高いと思われます。

作品⑯（口絵17）：レオナルド・ダ・ヴィンチ、〈洗礼者ヨハネ〉、1513-16年頃、クルミの板に油彩、69×57 cm、パリ、ルーヴル美術館

謎めいた笑みをうかべる不思議な人物。十字架形の先端部をもつ杖《つえ》を手にし、毛皮を着ていること以外、一般的な洗礼者ヨハネの図像との共通点がひとつもない不思議な絵です。これがレオナルドの遺作となったので、彼が最終的に辿《たど》り着いた思索の結果が描かれているはずです。

〈ラ・ジョコンダ〉と〈聖アンナと聖母子〉とともに、最後までレオナルドのアトリエにあった作品です。契約書などは無いのですが、ヨハネ（イタリア読みでジョヴァンニ）と同じ名をもつ教皇レオ一〇世（ジョヴァンニ・デ・メディチ）の注文だった可能性があります。スフマート技法が全面的に用いられる一方、解剖学的に正確な人体描写への興味を失っていたことがわかります。

中性的だと感じられたら、その直感は正しく、通常は男性的な姿で描かれる洗礼者ヨハネを、レオナルドは両性具有体として描いています。その背景には、メディチ家主宰の文化サークルで教材となっていた錬金術書やネオ・プラトニズムの思想があります。ごく簡潔に言えば、プラトンが語る完全体としての両性具有体を、レオナルドも天使的存在として理想視していたことによります。

巻末資料②――年表

年号	齢	出来事
一四五二	0	四月一五日、ヴィンチ村に生まれる。父は公証人のセル・ピエロ、母はカテリーナ。両親は結婚せず、父方の祖父アントニオのもとで育てられる
一四六五	13	この頃フィレンツェに移り、ヴェロッキオ工房に入る
一四七二	20	六月、サン・ルカ画家組合に親方として登録される。この頃、〈受胎告知〉と〈カーネーションの聖母〉に着手
一四七六	24	四月、ヤコポ・サルタレッリをめぐる男色行為で告発される。六月に再審
一四七八	26	「一四七八年一二月（?）、二点の聖母像にとりかかった」（〈ブノワの聖母〉か）
一四七九	27	一二月二八日、パッツィ事件の犯人バロンチェッリの処刑の様子をスケッチ
一四八〇	28	〈ジネヴラ・デ・ベンチ〉をベルナルド・ベンボの依頼により制作か
一四八一	29	三月、フィレンツェのサン・ドナート・ア・スコペート修道院より〈東方三博士（マギ）の礼拝〉の注文

一四八二	30	〈東方三博士の礼拝〉と〈聖ヒエロニムス〉の制作を中断かミラノ公国への自薦状。軍事技師として雇われフィレンツェをあとにする
一四八三	31	四月二五日、デ・プレディス兄弟とともに、無原罪懐胎同信会よりサン・フランチェスコ・グランデ教会附属礼拝堂祭壇画の委嘱（〈岩窟の聖母〉）
一四八七	35	八月以降、ミラノ大聖堂ティブーリオの模型に対する支払いを数度うける
一四八九	37	七月二二日、フィレンツェの駐ミラノ大使アラマンニからイル・マニフィコ宛て書簡。イル・モーロが〈スフォルツァ騎馬像〉をレオナルドに要請したと記す
一四九〇	38	一月、ミラノ公とナポリ王娘の祝婚行事で「イル・パラディーゾ」上演。この頃、チェチリア・ガッレラーニの肖像画（〈白貂を抱く貴婦人〉）を制作 七月二二日、当時一〇歳のサライが住み始める。これ以降、サライは頻繁に盗みを働く
一四九二	40	この年、ロレンツォ・デ・メディチ（イル・マニフィコ）が死去。教皇アレクサンデル六世（チェーザレ・ボルジアの父）が即位。コロンブスがアメリカ大陸に到達し、イタリアが地理上の優越性を失っていくきっかけとなる。この頃、〈ラ・ベル・フェロニエール〉を制作

一四九三	41	七月一六日、「カテリーナ来る」と記す。おそらく実母のこと 一一月三〇日、〈スフォルツァ騎馬像〉の粘土像、ビアンカ・マリーア・スフォルツァと神聖ローマ（ドイツ）皇帝マクシミリアンの祝婚祭典で披露される
一四九四	42	仏軍の侵入をうけて、一一月、騎馬像用の青銅が大砲製造にまわされる カテリーナ（おそらく実母）の埋葬に要した諸経費のリストを記す
一四九六	44	一月三一日、タッコーネ台本、レオナルド演出の劇「ダナエ」上演
一四九八	46	二月頃、〈最後の晩餐〉完成 二月八日、スフォルツァ城での「学芸の決闘」にルカ・パチョーリと参加 五月二三日、フィレンツェで神権政治をおこなっていたサヴォナローラの火刑 レオナルドがスフォルツァ城「アッセの間」の装飾にとりかかると、四月二三日にバスカペが記録 四月二六日、イザベッラ・デステからチェチリア・ガッレラーニへ、レオナルドが描いた肖像画（〈白貂を抱く貴婦人〉）を貸してほしいとの手紙
一四九九	47	四月二六日、イル・モーロからミラノ郊外の葡萄園を与えられる 仏王ルイ一二世、一〇月六日ミラノ入城、イル・モーロ敗走しレオナルド失職

一五〇〇	48	二月頃にマントヴァで公妃イザベッラ・デステの肖像をデッサン。ヴェネツィアをまわってフィレンツェに戻る
一五〇一	49	春にフィレンツェで聖母子像のカルトンが二日間公開されて大評判をよぶ。その派生形が後の〈聖アンナと聖母子〉 四月、ノヴェッラーラ神父からイザベッラ・デステへの複数の書簡。レオナルドはフロリモン・ロベルテのために〈糸巻きの聖母〉を制作中
一五〇二	50	この年、チェーザレ・ボルジアの「建築家および技師」として教皇軍と転戦 マキャヴェッリ、一〇月にフィレンツェからチェーザレ勢力下のイモラに派遣される。同地でレオナルドと親交を結ぶ
一五〇三	51	アンブロージョ・デ・プレディスと〈岩窟の聖母〉の支払額再審査請求 レオナルドがリザ・デル・ジョコンドの肖像を描いている、とアゴスティーノ・ヴェスプッチが一〇月に記録。〈ラ・ジョコンダ〉か 一〇月一八日、フィレンツェ画家組合再加入。この頃蔵書一一六冊のリスト作成

一五〇四	52	一月二五日、ミケランジェロの〈ダヴィデ〉設置場所の検討会議に出席 五月四日、五百人広間の壁画〈アンギアーリの戦い〉制作の契約締結 七月九日、父セル・ピエロ死去。レオナルドも二度メモを残す 八月、ミケランジェロに政庁から五百人広間壁画の委嘱。世紀の対決へ
一五〇五	53	〈アンギアーリの戦い〉彩色を始めた六月六日、豪雨により下絵損壊
一五〇六	54	四月二七日、ミラノで〈岩窟の聖母〉の支払額再審査と再契約締結 四月三〇日、亡父セル・ピエロの遺産分配がレオナルド抜きでおこなわれる この頃、フィレンツェとフランス政府間でレオナルド滞在の綱引き
一五〇七	55	三月一二日、チェーザレ・ボルジア戦死 仏王ルイ一二世より、「我が国専任の画家兼技師」に任命される 異母弟妹たちとの遺産相続訴訟。八月一五日の政府書簡に、「王が望まれている一点の板絵」への言及（〈サルヴァトール・ムンディ〉か）
一五〇八	56	三月二二日、手稿の断片を集めて書にすると記す 〈トリヴルツィオ騎馬像〉計画に着手（後に頓挫） 医師マルカントニオ・デッラ・トッレとの出版計画が医師の急逝で頓挫
一五一三	61	九月二四日、メルツィやサライらとローマへ出発。この頃、〈洗礼者ヨハネ〉

一五一五	63	七月一二日、フランソワ一世凱旋式のための機械仕掛けライオンを送付 一〇月、教皇レオ一〇世の随員としてフィレンツェとボローニャへ出発 一二月九日、農場管理人ボーニに対し、今年のワインにはガッカリ、との手紙
一五一六	64	三月、ヌムール公急逝。パトロンを失ったレオナルドは冬にフランスへ出発
一五一七	65	一〇月一〇日、枢機卿一行がクルー館を訪問。随員アントニオ・デ・ベアティスが手稿と絵画三点を見たこと、レオナルドが三〇体以上解剖してきたことなどを記すデ・ベアティス、一二月にミラノで〈最後の晩餐〉が傷んでいると記す
一五一八	66	六月一九日、王家の祝婚行事で劇「パラディーゾ」の再演
一五一九	67	四月二三日、遺言状に捺印。五月二日、アンボワーズで死去。八月一二日に葬儀。同年、マゼランが世界周航に出発。

ちくまプリマー新書

349
伊藤若冲
――よみがえる天才1
辻惟雄
私は理解されるまでに1000年の時を待つ――江戸の鬼才が遺したこの言葉が秘める謎に、最新の研究と迫力のカラー図版で迫る、妖しくも美しい美術案内。

174
西洋美術史入門
池上英洋
名画に隠された豊かなメッセージを読み解き、絵画鑑賞をもっと楽しもう。確かなメソッドに基づいた、新しい西洋美術史をこの一冊で網羅的に紹介する。

212
西洋美術史入門〈実践編〉
池上英洋
好評『西洋美術史入門』の続編。前作で紹介した、基本知識や鑑賞スキルに基き、エジプト美術から近現代の作品まで、さまざまな名作を実際に読み解く。

288
ヨーロッパ文明の起源
――聖書が伝える古代オリエントの世界
池上英洋
ヨーロッパ文明の草創期には何があり、人類はどのようにそれを築いていったか――。聖書や神話、遺跡などをてがかりに、「文明のはじまり」の姿を描き出す。

345
一枚の絵で学ぶ美術史
カラヴァッジョ《聖マタイの召命》
宮下規久朗
名画ながら謎の多い《聖マタイの召命》。この絵を様々な角度から丁寧に読み解いてみる。たった1枚の絵画からくめども尽きぬ豊かなメッセージを受け取る。

ちくまプリマー新書

162 世界の教科書でよむ〈宗教〉 藤原聖子

宗教というとニュースはテロや事件のことばかり。子どもたちは学校で他人の宗教とどう付き合うよう教えられているのか、欧米・アジア9か国の教科書をみてみよう。

184 イスラームから世界を見る 内藤正典

誤解や偏見とともに語られがちなイスラーム。その本当の姿をイスラーム世界の内側から解き明かす。イスラームの「いま」を知り、「これから」を考えるための一冊。

265 身体が語る人間の歴史――人類学の冒険 片山一道

人間はなぜユニークなのか。なぜこれほど多様なのか。日本からポリネシアまで世界を巡る人類学者が、身体の歴史を読みとき、人間という不思議な存在の本質に迫る。

313 謎解き　聖書物語 長谷川修一

旧約聖書につづられた物語は史実なのか、それともフィクションなのか？　最新の考古学的研究をもとに謎に迫り、流れを一望。知識ゼロからわかる聖書入門の決定版。

331 はじめてのギリシア神話 松村一男

世界の始まりを描いたギリシア神話はどんなふうに成立したか。二千年を経てもなお人々を魅了するストーリーやキャラクターを紹介し、その歴史的背景を探る。

ちくまプリマー新書

113
中学生からの哲学「超」入門
――自分の意志を持つということ
竹田青嗣
自分とは何か。なぜ宗教は生まれたのか。なぜ人を殺してはいけないのか。満たされない気持ちの正体は何なのか……。読めば聡明になる、悩みや疑問への哲学的考え方。

148
ニーチェはこう考えた
石川輝吉
熱くてグサリとくる言葉の人、ニーチェ。だが、もともとは、うじうじくよくよ悩むひ弱な青年だった。現実の「どうしようもなさ」と格闘するニーチェ像がいま甦る。

276
はじめての哲学的思考
苫野一徳
哲学は物事の本質を見極める、力強い思考法を生み出してきた。誰もが納得できる考えに到達するためのその思考法のエッセンスを、初学者にも理解できるよう伝える。

287
なぜと問うのはなぜだろう
吉田夏彦
ある／ないとはどういうことか？　人は死んだらどこへ行くのか――永遠の問いに自分の答えをみつけるための、哲学的思考法への誘い。伝説の名著、待望の復刊！

308
幸福とは何か
――思考実験で学ぶ倫理学入門
森村進
幸福とは何か。私たちは何のために生きているのか――誰もが一度は心をつかまれるこの問題を、たくさんの思考実験を通して考えよう。思考力を鍛える練習問題つき。

ちくまプリマー新書

332
宇宙はなぜ哲学の問題になるのか
伊藤邦武
「宇宙に果てはあるか」「広大な宇宙の片隅の私達は何者か」。プラトンもカントもウィトゲンシュタインも、哲学的思考の出発点は宇宙だった。謎の極限への大冒険。

339
若い人のための10冊の本
小林康夫
本とは、世界の秘密へと通じる扉の鍵を、私たちに与えてくれるもの。いったいどんな読書をすれば、そこに辿りつけるのか？　あなただけにこっそり教えます。

116
ものがたり宗教史
浅野典夫
宗教は世界の歴史を彩る重要な要素のひとつ。異文化への誤解をなくし、国際社会の中での私たちの立ち位置を理解するために、主要な宗教のあらましを知っておこう。

258
戦争とは何だろうか
西谷修
戦後70年が過ぎ戦争の記憶が薄れかけている今、実は戦争は近づいてきている。どのように国や国民は巻き込まれていくのだろう？　戦争とは何かを考える一冊。

064
民主主義という不思議な仕組み
佐々木毅
誰もがあたりまえだと思っている民主主義。それは、本当にいいものなのだろうか？　この制度の成立過程を振り返りながら、私たちと政治との関係について考える。

ちくまプリマー新書

239
地図で読む「国際関係」入門
眞淳平
近年大きな転換期を迎えていると言われる国際関係。その歴史的背景や今後のテーマについて、地図をはじめ豊富な資料を使い読み解く。国際情勢が2時間でわかる。

256
国家を考えてみよう
橋本治
国家は国民のものなのに、考えるのは難しい。日本の国の歴史をたどりつつ、考えることを難しくしている理由を探る。考え学び続けることの大切さを伝える。

257
学校が教えないほんとうの政治の話
斎藤美奈子
若者の投票率が低いのは「ひいき」がないから。「ひいきの政治チーム」を決めるにはどうしたらいいのか。あなたの「地元」を確かめるところから始める政治入門。

340
はじめての憲法
篠田英朗
日本国憲法の制定過程をポツダム宣言受諾後の「ポツダム・プロセス」と見ることで憲法の本当の姿がわかる。気鋭の国際政治学者による、世界水準の憲法入門講義。

198
僕らが世界に出る理由
石井光太
未知なる世界へ一歩踏み出す！　そんな勇気を与えるために、悩める若者の様々な疑問に答えます。いま、ここから、なにかをはじめたい人へ向けた一冊。

ちくまプリマー新書

ちくまプリマー新書

120
文系？　理系？
――人生を豊かにするヒント
志村史夫
「自分は文系（理系）人間」と決めつけてはもったいない。素直に自然を見ればこんなに感動的な現象に満ちている。「文理（芸）融合」精神で本当に豊かな人生を。

166
フジモリ式建築入門
藤森照信
建築物はどこにでもある身近なものだが、改めて「建築とは何か？」と考えてみるとこれがムズカシイ。ヨーロッパと日本の建築史をひもときながらその本質に迫る本。

187
はじまりの数学
野﨑昭弘
なぜ数学を学ばなければいけないのか。その経緯を人類史から問い直し、現代数学の三つの武器を明らかにして、その使い方をやさしく楽しく伝授する。壮大な入門書。

193
はじめての植物学
――植物たちの生き残り戦略
大場秀章
身の回りにある植物の基本構造と営みを観察してみよう。大地に根を張って暮らさねばならないことゆえの、巧みな植物の「改造」を知り、植物とは何かを考える。

195
宇宙はこう考えられている
――ビッグバンからヒッグス粒子まで
青野由利
ヒッグス粒子の発見が何をもたらすかを皮切りに、宇宙論、天文学、素粒子物理学が私たちの知らない宇宙の真理にどのようにせまってきているかを分り易く解説する。

ちくまプリマー新書

228
科学は未来をひらく
——〈中学生からの大学講義〉3
村上陽一郎／中村桂子／佐藤勝彦／高薮縁
宇宙はいつ始まったのか？　生き物はどうして生きているのか？　科学は長い間、多くの疑問に挑み続けている。第一線で活躍する著者たちが広くて深い世界に誘う。

252
植物はなぜ動かないのか
——弱くて強い植物のはなし
稲垣栄洋
自然界は弱肉強食の厳しい社会だが、弱そうに見えるたくさんの動植物たちが、優れた戦略を駆使して自然を謳歌している。植物たちの豊かな生き方に楽しく学ぼう。

319
生きものとは何か
——世界と自分を知るための生物学
本川達雄
生物の最大の特徴はなんだろうか？　地球上のあらゆる生物は様々な困難（環境変化や地球変動）に負けず子孫を残そうとしている。生き続けることこそが生物!?

335
なぜ科学を学ぶのか
池内了
科学は万能ではなく、限界があると知っておくことが重要だ。科学・技術の考え方・進め方には一般的な法則がある。それを体得するためのヒントが詰まった一冊。

297
世界一美しい人体の教科書〈カラー新書〉
坂井建雄
いまだ解き明かされぬ神秘に満ちた人体。最新の研究成果をもとに、主要な臓器の構造と働きをわかりやすく解説。100枚の美しい超ミクロカラー写真でその謎に迫る！

ちくまプリマー新書 350

レオナルド・ダ・ヴィンチ　よみがえる天才《てんさい》2

二〇二〇年五月十日　初版第一刷発行

著者　池上英洋（いけがみ・ひでひろ）

装幀　クラフト・エヴィング商會

発行者　喜入冬子

発行所　株式会社筑摩書房
東京都台東区蔵前二-五-三　〒一一一-八七五五
電話番号　〇三-五六八七-二六〇一（代表）

印刷・製本　株式会社精興社

ISBN978-4-480-68377-9 C0271　Printed in Japan